Collection en poésie folio junior

dirigée par
Jean-Olivier Héron
et Pierre Marchand

présenté par
Georges Jean

la liberté
en poésie

Gallimard

LA LIBERTÉ EN POÉSIE

Pour N. et pour mes petits-enfants.

Rassembler des textes poétiques autour du mot « liberté » est une entreprise séduisante et impossible. Séduisante, parce qu'il n'est pas de mots dans la langue française qui ne recouvrent autant d'images diverses. Car la liberté est aussi bien l'idéal auquel toutes les révolutions tendent, que le désir pour chacun d'entre nous de transgresser les règles de la morale familiale, sociale et toutes les normes... Mais c'est une entreprise impossible dans la mesure où toute poésie est affirmation implicite ou explicite de la liberté de « tout dire ». Il aurait donc fallu citer « tous les livres » de poésie. Comme il fallait bien choisir, je me suis donc laissé aller à un choix d'humeur. Et j'ai retenu certes des textes qui parlaient de liberté très fort, très ouvertement mais aussi des poèmes qui disent sans le crier, l'évasion, l'errance, la dérive, ou qui décrivent des espaces sans limites ; des textes de circonstances, liés par exemple à la Résistance, mais également des textes qui disent les prisons imaginaires et les évasions impossibles.

Comme je crois assez peu à la poésie traduite je me suis attaché à ne retenir que des textes en langue française venant de France, de Suisse, de Belgique, du Québec. J'ai parcouru le temps : on chante la liberté depuis toujours. J'ai retenu des poèmes très connus et qui sont sur toutes les lèvres et dans toutes les mémoires ; et des poèmes moins familiers de grands auteurs et même de poètes mineurs ou presque ignorés.

Le seul critère qui m'a guidé, inconsciemment sans doute, car je m'en suis aperçu à la relecture des poèmes, une fois qu'ils furent rassemblés, est celui de l'efficacité et de l'évidence. Et ces termes recouvrent un paradoxe sur lequel, présentant des textes sur la liberté, je tiens à intervenir : « L'évidence poétique » n'est pas donnée ; elle est une conquête ; elle est inévitablement le résultat d'un travail. Travail patient ou activité fulgurante mais travail. Le poète, quel qu'il soit, ne peut pas échapper à des contraintes de toute nature et particulièrement à celles qui sont dans sa langue maternelle ! Et c'est bien pour cela qu'entre la liberté et la poésie se noue un réseau d'images analogues. Toute liberté se gagne au terme d'un combat. Elle n'est pas plus offerte à l'homme que l'efficacité armée de son langage de poète. Tous les textes qui suivent sont conquis sur les espaces clos où la routine quotidienne, où le dire de l'habitude nous enferment. A la limite on pourrait affirmer que nous sommes tous des prisonniers et que le cri ou le murmure de la poésie sont des armes de délivrance et d'évasion. C'est bien pourquoi l'un des derniers recours des hommes enfermés dans les murs réels des prisons réelles est de le dire avec toute la force des mots dynamisés d'un poème.

Mon seul souhait est donc que les lecteurs de ces textes : enfants, adolescents, hommes et femmes de tous les âges y découvrent, avec le plaisir de réinventer ces mots qui délivrent, que toute liberté, comme toute poésie, est une conquête et une victoire sur la nuit.

Georges JEAN

L'ÉCOLIER A LA GUERRE

J'vais vous chanter l'histoire
D'un vaillant écolier ;
A la fleur de son âge
A voulu s'engager.
Mais avant d'prendre les armes
Il a voulu s'marier ;
A un' jeun'demoiselle
Il alla s'présenter.

Trois jours après la noce,
L'mandat est arrivé ;
Fallait prendre les armes
Et partir à l'armée.
La campagne fut longue,
A bien duré douze ans ;
N'ont point r'çu d'ses nouvelles
Sa femm' ni ses parents.

Au bout de douze années,
S'en revint au pays ;
Le jour qu'il arrive,
Sa femm' s'y remarie.
Il va droit à sa porte,
Prend un air distingué ;
Sous ses nouvell's manières,
C'est comme un étranger.

— Bonjour, madam' l'hôtesse,
Pourriez-vous m'y loger ?
— Oh ! non, brav' militaire,
Nous somm's embarrassés.
Ma fill' s'y remarie,
Y a du monde à coucher ;
Ce soir les gens d' la noce
Vienn'nt tous ici souper.

Auriez-vous répugnance
A r'cevoir mon argent ?
Moi qui, sous vos fenêtres
Ai passé si souvent.
— Entrez, brav' militaire,
Ici vous coucherez ;
Avec les gens d' la noce
Ce soir vous souperez.

— Connaissez-vous, madame,
Joseph au cœur constant ?
— Voilà bien douze années
Qu'il est au régiment.
La mariée se lève,
Ell' l'embrasse et lui dit :
— Me voici donc, ce soir,
La femme à deux maris !

Messieurs de la Justice
Viendront pour y juger ;
Ils donneront la femme
Au premier marié.
Puis ils diront à l'autre,
Au pauvre infortuné,
Qu'il cherche une autre épouse,
Qu'il en a liberté.

En prison

A LA SANTÉ

I

Avant d'entrer dans ma cellule
Il a fallu me mettre nu
Et quelle voix sinistre ulule
Guillaume qu'es-tu devenu

Le Lazare entrant dans la tombe
Au lieu d'en sortir comme il fit
Adieu adieu chantante ronde
O mes années ô jeunes filles

II

Non je ne me sens plus là
    Moi-même
Je suis le quinze de la
    Onzième

Le soleil filtre à travers
    Les vitres
Ses rayons font sur mes vers
    Les pitres

Et dansent sur le papier
    J'écoute
Quelqu'un qui frappe du pied
    La voûte

III

Dans une fosse comme un ours
Chaque matin je me promène
Tournons tournons tournons toujours
Le ciel est bleu comme une chaîne
Dans une fosse comme un ours
Chaque matin je me promène

Dans la cellule d'à côté
On y fait couler la fontaine
Avec les clefs qu'il fait tinter
Que le geôlier aille et revienne
Dans la cellule d'à côté
On y fait couler la fontaine

IV

Que je m'ennuie entre ces murs tout nus
    Et peints de couleurs pâles
Une mouche sur le papier à pas menus
    Parcourt mes lignes inégales

Que deviendrai-je ô Dieu qui connais ma douleur
    Toi qui me l'as donnée
Prends en pitié mes yeux sans larmes ma pâleur
    Le bruit de ma chaise enchaînée

Et tous ces pauvres cœurs battant dans la prison
    L'amour qui m'accompagne
Prends en pitié surtout ma débile raison
    Et ce désespoir qui la gagne

V

Que lentement passent les heures
Comme passe un enterrement

Tu pleureras l'heure où tu pleures
Qui passera trop vitement
Comme passent toutes les heures

VI

J'écoute les bruits de la ville
Et prisonnier sans horizon
Je ne vois rien qu'un ciel hostile
Et les murs nus de ma prison

Le jour s'en va voici que brûle
Une lampe dans la prison
Nous sommes seuls dans ma cellule
Belle clarté Chère raison

Septembre 1911

Albertine SARRAZIN

Il y a des mois que j'écoute
Les nuits et les minuits tomber
Et les camions dérober
La grande vitesse à la route
Et grogner l'heureuse dormeuse
Et manger la prison les vers
Printemps étés automnes hivers
Pour moi n'ont aucune berceuse
Car je suis inutile et belle
En ce lit où l'on n'est plus qu'un
Lasse de ma peau sans parfum
Que pâlit cette ombre cruelle
La nuit crisse et froisse des choses
Par le carreau que j'ai cassé
Où s'engouffre l'air du passé
Tourbillonnant en mille poses
C'est le drap frais le dessin mièvre
Léchant aux murs le reposoir
C'est la voix maternelle un soir
Où l'on criait parmi la fièvre
Le grand jeu d'amant et maîtresse
Fut bien pire que celui-là
C'est lui pourtant qui reste là
Car je suis nue et sans caresse
Mais veux dormir ceci annule
Les précédents Ah m'évader
Dans les pavots ne plus compter
Les pas de cellule en cellule

Fresnes, 1954-1955.

15

CELLULE 487

Toujours les quatre murs
Le bruit légendaire des bottes
L'amour la joie la liberté
A coups de pied rejetés

Entrechoquement de gamelles affamées
Les soupes creuses
Et le pain malheureux d'être là

Le rayon de soleil joyeux trésor
Que l'on voudrait cacher pour les jours plus noirs
Le ressac des doux souvenirs et des regrets
    Une perle brille sur la plage
    Dans la coquille vide
    Puis une vague l'emporte

Ah ! mon amour combien de fois ai-je écouté l'oiseau chanter
Sans l'entendre

Ah ! mes amis combien de fois ai-je appris
La chute de Varsovie
Combien de fois ai-je aimé
Le beau mensonge des exaltés

Toujours les quatre murs
Le bruit légendaire des bottes
L'amour la joie la liberté
A coups de pied rejetés

La nuit de la nuit des ténèbres
Peuplée de fantômes métalliques
Aux mille araignées de tortures
La nuit où parfois l'on se rêve heureux et libre
Dans la clarté du jardin
Fabuleux

Pluie de fleurs déluge de fruits bâillons de parfums
L'herbe est une lumière qui porte l'aile des pas
Un sourire se cache va et vient disparaît
Il ferait bon vivre ici mais il ferait bon partir
Plus loin encore
Vers d'autres sourires

    Et tout d'un coup voilà les grandes villes
    Grilles grilles encore des grilles et des grilles
    Et des grillages et puis des barbelés

Alors soudain voici le réveil et voici l'angoisse
Et voici le courage qui essaie de prendre sa faction
Dans la frêle guérite du cœur.

Voici les pas d'un homme qui a marché toute la nuit
Voici l'aube annoncée par le roulement d'une porte qui s'ouvre
Sur des yeux calmes

    Voici au loin le bruit d'un moteur
    Voici que personne n'ose plus penser

    C'est le temps des fusillés

Fresnes, 22 février-23 mars 1944.

17

LA PRISON

Un homme était emprisonné
Il étouffait sous la méchanceté des murs
Voulait-il les effacer voulait-il les oublier
Les murs faisaient monter sur lui le cafard des choses
Les murs lui apportaient les monstres variés de son passé
Voulait-il les apprivoiser ils grimaçaient comme des bêtes
Et se rapprochaient
Et lui parlaient
Bientôt il n'aurait plus que l'espace de son corps
Suaire de pierre
Ensuite ils feraient éclater son corps et puis le cœur de son
  corps —

Un Ange survint, écarta les murailles
On revit le soleil le monde illimité.

Jacques DUPIN

LE PRISONNIER

Terre mal étreinte, terre aride,
Je partage avec toi l'eau glacée de la jarre,
L'air de la grille et le grabat.
Seul le chant insurgé
S'alourdit encore de tes gerbes,
Le chant qui est à soi-même sa faux.

Par une brèche dans le mur,
La rosée d'une seule branche
Nous rendra tout l'espace vivant,

Étoiles,
Si vous tirez à l'autre bout.

D'UNE PRISON

Touche l'air et l'eau et le feu
Touche sa peau si tu la veux
Touche l'herbe la feuille l'aulne
Toute la terre fait l'aumône
Touche ses yeux, ses yeux ont fui
Toutes les Sorgues de la nuit
Les perdirent dans leurs méandres
Touche son cœur, son cœur est tendre
Et touche l'aile de l'oiseau
Il vole à grands coups de ciseaux
Si loin que tes mains ne l'atteignent
Et puis avant qu'elle s'éteigne
Touche la flamme, elle est fumée
Touche la neige, elle est buée
Touche le ciel, il est en toi
— O mon Amour — crie une voix
Une autre voix un nom murmure
Et la prison ferme ses murs.

LE FORÇAT
(fragment)

Vous dont les yeux sont restés libres,
Vous que le jour délivre de la nuit,
Vous qui n'avez qu'à m'écouter pour me répondre,
Donnez-moi des nouvelles du monde.
Et les arbres ont-ils toujours
Ce grand besoin de feuilles, de ramilles,
Et tant de silence aux racines ?
Donnez-moi des nouvelles des rivières,
J'en ai connu de bien jolies,
Ont-elles encor cette façon si personnelle
De descendre dans la vallée,
De retenir l'image de leur voyage,
Sans consentir à s'arrêter.

Donnez-moi des nouvelles des mouettes
De celle-là surtout que je pensai tuer un jour.
Comme elle eut une étrange façon,
Le coup tiré, une bien étrange façon
De repartir !
Donnez-moi des nouvelles des lampes
Et des tables qui les soutiennent
Et de vous aussi tout autour,
Porte-mains et porte-visages.
Les hommes ont-ils encore
Ces yeux brillants qui vous ignorent,
La colère dans leurs sourcils,
Le cœur au milieu des périls ?
Mais vous êtes là sans mot dire.
Me croyez-vous aveugle et sourd ?

Et voici la muraille, elle use le désir,
On ne sait où la prendre, elle est sans souvenirs,
Elle regarde ailleurs, et, lisse, sans pensées,
C'est un front sans visage, à l'écart des années.
Prisonniers de nos bras, de nos tristes genoux,
Et, le regard tondu, nous sommes devant nous
Comme l'eau d'un bidon qui coule dans le sable
Et qui dans un instant ne sera plus que sable.
Déjà nous ne pouvons regarder ni songer,
Tant notre âme est d'un poids qui nous est étranger.
Nos cœurs toujours visés par une carabine
Ne sauraient plus sans elle habiter nos poitrines.
Il leur faut ce trou noir, précis de plus en plus,
C'est l'œil d'un domestique attentif, aux pieds nus.
Œil plein de prévenance et profond, sans paupière.
A l'aise dans le noir et l'excès de lumière.

Si nous dormons il sait nous voir de part en part,
Vendange notre rêve, avant nous veut sa part.
Nous ne saurions lever le regard de la terre
Sans que l'arme de bronze arrive la première,
Notre sang a besoin de son consentement,
Ne peut faire sans elle un petit mouvement,
Elle est un nez qui flaire et nous suit à la piste,
Une bouche aspirant l'espoir dès qu'il existe,
C'est le meilleur de nous, ce qui nous a quittés,
La force des beaux jours et notre liberté.

REQUÊTE AU ROI
(extraits)

(...) Au milieu de mes libertés
Dans un plein repos de ma vie,
Où mes plus molles voluptés
Semblaient avoir passé l'envie.
D'un trait de foudre inopiné
Que jeta le ciel mutiné
Dessus le comble de ma joie,
Mes desseins se virent trahis.
Et moi d'un même coup la proie
De tous ceux que j'avais haïs.

(...) Après cinq ou six mois d'erreurs,
Incertain en quel lieu du monde
Je pourrais asseoir les terreurs
De ma misère vagabonde,
Une incroyable trahison
Me fit rencontrer ma prison
Où j'avais cherché mon asile :
Mon protecteur fut mon sergent
O grand Dieu ! qu'il est difficile
De courre avecques de l'argent !

Le billet d'un religieux
Respecté comme des patentes,
Fit épier en tant de lieux
Le porteur de Muses errantes,
Qu'à la fin deux méchants prévôts,
Fort grands voleurs et très dévots,

Priant Dieu comme des apôtres,
Mirent la main sur mon collet.
Et, tout disant leurs patenôtres,
Pillèrent jusqu'à mon valet.

A l'éclat du premier appas,
Éblouis un peu de la proie,
Ils doutaient si je n'étais pas
Un faiseur de fausse monnoie ;
Ils m'interrogeaient sur le prix
Des quadruples qu'on m'avait pris
Qui n'étaient pas du coin de France,
Lors il me prit un tremblement,
De crainte que leur ignorance
Me jugeât prévôtalement.

Ils ne pouvaient s'imaginer,
Sans soupçon de beaucoup de crimes,
Qu'on trouvât tant à butiner
Sur un simple faiseur de rimes,
Et, quoique l'or fût bon et beau,
Aussi bien au jour qu'au flambeau,
Ils croyaient, me voyant sans peine
Quelque fonds qu'on me dérobât,
Que c'étaient des feuilles de chêne
Avec la marque du sabbat.

Ils disaient entre eux sourdement
Que je parlais avec la lune,
Et que le diable assurément
Était auteur de ma fortune ;
Que, pour faire service à Dieu,
Il fallait bien choisir un lieu

Où l'objet de leur tyrannie
Me fît sans cesse discourir
Du trépas plein d'ignominie
Qui me devait faire périr.

Sans cordon, jartières ni gants
Au milieu de dix hallebardes
Je flattais des gueux arrogants
Qu'on m'avait ordonnés pour gardes ;
Et, nonobstant, chargé de fers,
On m'enfonce dans les enfers
D'une profonde et noire cave,
Où l'on n'a qu'un peu d'air puant
Des vapeurs de la froide bave
D'un vieux mur humide et gluant.

Dedans ce commun lieu de pleurs
Où je me vis si misérable,
Les assassins et les voleurs
Avaient un trou plus favorable.
Tout le monde disait de moi
Que je n'avais ni foi ni loi,
Qu'on ne connaissait point de vice
Où mon âme ne s'adonnât,
Et, quelque trait que j'écrivisse,
C'était pis qu'un assassinat ;

Qu'un saint homme de grand esprit,
Enfant du bienheureux Ignace,
Disait, en chaire et par écrit,
Que j'étais mort par contumace,
Que je ne m'étais absenté
Que de peur d'être exécuté

Aussi bien que mon effigie ;
Que je n'étais qu'un suborneur,
Et que j'enseignais la magie
Dedans les cabarets d'honneur.

(...) Sire, jetez un peu vos yeux
Sur le précipice où je tombe ;
Sainte image du roi des cieux,
Rompez les maux où je succombe.
Si vous ne m'arrachez des mains
De quelques morgueurs inhumains
A qui mes maux donnent à vivre,
L'hiver me donnera secours :
En me tuant il me délivre
De mille trépas tous les jours.

(...) Comme Alcide força la mort
Lorsqu'il lui fit lâcher Thésée,
Vous ferez avec moins d'effort
Chose plus grande et plus aisée :
Signez mon élargissement ;
Ainsi, de trois doigts seulement
Vous abattrez vingt et deux portes
Et romprez les barres de fer
De trois grilles qui sont plus fortes
Que toutes celles de l'enfer.

AU ROI POUR LE DÉLIVRER DE PRISON

Roi des Français, plein de toutes bontés,
Quinze jours a (je les ai bien comptés)
Et dès demain seront justement seize
Que je fus fais confrère au diocèse
De Saint-Merry, en l'église Saint-Prix :
Si vous dirai comment je fus surpris
Et me déplaît qu'il faut que je le die.
Trois grands pendards vinrent à l'étourdie
En ce palais, me dire en désarroi :
« Nous vous faisons prisonnier par le Roy. »
Incontinent qui fut bien étonné ?
Ce fut Marot, plus que s'il eût tonné.
Puis m'ont montré un parchemin écrit
Où n'y avait seul mot de Jésus-Christ :
Il ne parlait tout que de plaiderie,
De conseillers et d'emprisonnerie.
« Vous souvient-il, ce me dirent-ils lors,
Que vous étiez l'autre jour là dehors,
Qu'on secourut un certain prisonnier
Entre nos mains ? » Et moi de le nier :
Car soyez sûr, si j'eusse dit : oui,
Que le plus sourd d'entre eux m'eût bien ouï,
Et d'autre part j'eusse publiquement
Été menteur : car pour quoi et comment
Eussé-je pu un autre recourir,
Quand je n'ai su moi-même secourir ?
Pour faire court je ne sus tant prêcher
Que ces paillards me voulussent lâcher.
Sur mes deux bras ils ont la main posée,
Et m'ont mené ainsi qu'une épousée,

Non pas ainsi, mais plus roide un petit.
Et toutefois j'ai plus grand appétit
De pardonner à leur folle fureur
Qu'à celle-là de mon beau procureur :
Que male mort les deux jambes lui casse !
Il a bien pris de moi une bécasse,
Une perdrix et un levraut aussi ;
Et toutefois je suis encore ici,
Encor je crois, si j'en envoyais plus,
Qu'il le prendrait, car ils ont tant de glus
Dedans leurs mains, ces faiseurs de pipée,
Que toute chose où touchent est grippée.
Mais pour venir au point de ma sortie :
Tout doucement j'ai chanté ma partie,
Que nous avons bien accordé ensemble,
Si que n'ai plus affaire, ce me semble,
Sinon à vous. La partie est bien forte ;
Mais le droit point, où je me réconforte,
Vous n'entendez procès non plus que moi ;
Ne plaidons point : ce n'est que tout émoi.
Je vous en crois, si je vous ai méfait,
Encor posé le cas que l'eusse fait,
Au pis aller n'y cherrait qu'une amende.
Prenez le cas que je vous la demande ;
Je prends le cas que vous me la donnez ;
Et si plaideurs furent onc étonnés
Mieux que ceux-ci je veux qu'on me délivre,
Et que soudain en ma place on les livre.
Si vous supplie, Sire, mander par lettre
Qu'en liberté vos gens me veuillent mettre ;
Et si j'en sors j'espère qu'à grand'peine
M'y reverront si on ne m'y ramène.

Très humblement requérant votre grâce
De pardonner à ma trop grande audace
D'avoir emprins ce sot écrit vous faire,
Et m'excusez si pour le mien affaire
Je ne suis point vers vous allé parler :
Je n'ai pas eu le loisir d'y aller.

1527.

ROTROUENGE DU CAPTIF
Poésie lyrique du Moyen Age

Ja nus hom pris ne dira sa reson
Adroitement, s'ensi com dolans non ;
Mès par confort puet il fere chançon.
Moult ai d'amis, mès povre sont li don ;
Honte en avront, se por ma reançon
Sui ces deux yvers pris.

Ce sevent bien mi homme et mi baron,
Englois, Normant, Poitevin et Gascon,
Que je n'avoie si povre conpaignon,
Cui je laissasse por avoir en prison.
Je nel di pas por nule retraçon,
Mès encor sui ge pris.

Or sai je bien de voir certainement
Que mors ne pris n'a ami ne parent,
Quant hon me lait por or ne por argent.
Moult m'est de moi, mès plus m'est de ma gent,
Qu'après ma mort avront reprochier grant,
Se longuement sui pris.

Ce sevent bien Angevin et Torain,
Cil bacheler qui or sont riche et sain,
Qu'enconbrez sui loing d'aus en autrui main.
Forment m'amoient, mes or ne m'aimment grain.
De beles armes sont ores vuit li plain,
Por tant que je sui pris.

ROTROUENGE DU CAPTIF

Jamais un prisonnier ne dira sa pensée
convenablement s'il ne parle comme un affligé ;
mais pour se consoler il peut faire une chanson.
J'ai beaucoup d'amis, mais pauvres sont leurs dons ;
ils en seront honnis, si faute de rançon
    je suis deux hivers prisonnier.

Ils savent bien, mes hommes et mes barons,
Anglais, Normands, Poitevins et Gascons,
que je n'avais si pauvre compagnon
que je laissasse, faute d'argent, en prison.
Je ne le dis pas, pour faire aucun reproche,
    mais je suis encore prisonnier.

Je sais maintenant avec certitude
que mort ni prisonnier n'ont ami ni parent,
puisqu'on me laisse pour or ou pour argent.
Cela est d'importance pour moi, mais encore plus pour mes
    gens,
car après ma mort ils auront de grands reproches
    si je suis encore prisonnier.

Ils savent bien, les Angevins, les Tourangeaux,
ces bacheliers qui sont riches et bien portants,
que je suis retenu loin d'eux dans la main d'autrui.
Ils m'ont beaucoup aimé, mais aujourd'hui ils ne m'aiment
    plus.

Mes compaignons cui j'amoie et cui j'ain,
Ceus de Cahen et ceus de Percherain,
Ce di, chançon, qu'il ne sont pas certain ;
Qu'onques vers aus nen oi cuer faus ne vain.
S'il me guerroient, il font moult que vilain,
Tant con je serai pris.

Contesse suer, vostre pris souverain
Vos saut et gart cil a cui je me clain
Et por cui je sui pris.
Je ne di pas de celi de Chartain,
La mere Looys.

Les plaines sont vides de beaux exploits
     parce que je suis prisonnier.

A mes compagnons que j'aimais et que j'aime,
ceux de Caen et ceux du Perche,
va dire, chanson, qu'ils ne sont pas des hommes sûrs.
Jamais envers eux mon cœur ne fut faux ni volage.
S'ils guerroient contre moi, ils agiront en vilains,
     tant que je serai prisonnier.

Comtesse, ma sœur, que votre renom souverain
soit défendu et gardé par celui à qui je me plains
     et pour qui je suis prisonnier.
Je ne parle pas de celle de Chartres,
     la mère de Louis.

33

CHANSON

Douce Liberté désirée,
Déesse, où t'es-tu retirée,
Me laissant en captivité ?
Hélas ! de moi ne te détourne !
Retourne, ô Liberté ! retourne,
Retourne, ô douce Liberté.

Ton départ m'a trop fait connaître
Le bonheur où je voulais être,
Quand, douce, tu m'allais guidant :
Et que, sans languir davantage,
Je devais, si j'eusse été sage,
Perdre la vie en te perdant.

Depuis que tu t'es éloignée,
Ma pauvre âme est accompagnée
De mille épineuses douleurs :
Un feu s'est épris en mes veines,
Et mes yeux, changés en fontaines,
Versent du sang au lieu de pleurs.

Un soin, caché dans mon courage,
Se lit sur mon triste visage,
Mon teint plus pâle est devenu :
Je suis courbé comme une souche,
Et, sans que j'ose ouvrir la bouche,
Je meurs d'un supplice inconnu.

Le repos, les jeux, la liesse,
Le peu de soin d'une jeunesse,
Et tous les plaisirs m'ont laissé :
Maintenant, rien ne me peut plaire,
Sinon, dévot et solitaire,
Adorer l'œil qui m'a blessé.

D'autre sujet je ne compose,
Ma main n'écrit plus d'autre chose,
Jà tout mon service est rendu ;
Je ne puis suivre une autre voie,
Et le peu du temps que j'emploie
Ailleurs, je l'estime perdu.

Quel charme, ou quel Dieu plein d'envie
A changé ma première vie,
La comblant d'infélicité ?
Et toi, Liberté désirée,
Déesse, où t'es-tu retirée,
Retourne, ô douce Liberté !

Les traits d'une jeune guerrière,
Un port céleste, une lumière,
Un esprit de gloire animé,
Hauts discours, divines pensées,
Et mille vertus amassées
Sont les sorciers qui m'ont charmé.

Las ! donc sans profit je t'appelle,
Liberté précieuse et belle !
Mon cœur est trop fort arrêté :
En vain après toi je soupire,
Et crois que je te puis bien dire
Pour jamais adieu, Liberté.

LE PRISONNIER

Où je vais jusqu'au bout de la rue qui monte. Moi je descends. Je comprends mes intentions, personne ne peut m'arrêter. Ce sont les fenêtres, les lumières des lampes, et je n'ai rien à craindre. Je m'accompagne moi, plusieurs fois, jusqu'où je vais exactement. Je vais je me comprends. De chaque côté du ciel, jusqu'à la rue, on tire les rideaux. Je me poursuis aussi loin que porte mon rêve en dehors des rails de la vie.

Je plante fleur après fleur sur les murs de la ville pour me faire un horizon de couleur. Dans les cieux c'est la mer — quelle eau est plus bleue — le vent bourdonne dans ma tête en fête de prière pour les morts.

Je me connais. Je mesure plus loin que le bout du rayon de la lune. Je parle des planètes en me cachant leur nom dans le fond de mes songes. Je suis le noyau de la pierre, et la fourmi s'y casse les dents, dur à chaque fois comme le noyau des mots seul peut l'être. Mon silence renferme le langage des oiseaux. Je suis l'extrémité de la glaise qui rejoint l'eau du ciel.

Je ne sais où habiter pour fuir mon regard. Il est un chien jaune qui me contemple avec mes yeux tout au bout de la rue encore ouverte. Je rassemble les paroles de la pluie dans mon cœur, mais en vain. Bouche close, je peux encore rêver, je ne peux que cela. J'ouvre les mains. Je peux m'ouvrir aussi au silence comme à la chaleur d'un nouvel amour. Je peux cela et je ne peux rien pour fuir mon regard au bout de la rue qui se ferme.

LA PORTE HUMAINE

Quand je me cloue contre moi-même
C'est toujours Dieu qui vit en moi
Le ciel n'a plus d'ombre, le ciel
A fait un grand signe de foi
Soleil de tête où l'homme boit
Le sang fabuleux du matin
Les gens sont vieux, les gens sont vains,
D'avoir rêvé chacun pour soi.

Sur le toit du monde miné
C'est un prisonnier qui s'échappe
Clous dans les mains, clous dans les pieds,
Larron de Dieu, bête traquée
Mais les injures qui le frappent
L'empêcheront de s'évader.

Je suis parti comme un enfant
Qui met le feu à son village
Mauvais œil et tête d'orage
Je suis sorti de ma prison
Mais suis demeuré un esclave.
Prisonniers du monde et du temps
Dites-moi ce que vous fuyez
Pourquoi courir ? Pourquoi marcher ?
L'étape est au commencement.

La longue route du mal vivre
Charrie des cadavres ardents
Route de vent, route de givre
Et route de chiens vagabonds
Route aux jambes des mercenaires

Charles LE QUINTREC

Route de feu, route de guerre
Chaque croix fait un croisement
Sur cette route de misère.

Halte-là ! Le monde est fermé
Ne passeront que les enfants
Que chacun montre ses papiers
Et fasse le signe du sang
Qui veut s'évader doit prier
Semer le grain de sénevé
Parmi l'ivraie et le chiendent.

Comme le grand lion de la ménagerie,
Captif au mois de mai dans des barreaux de fer,
Crispant son front terrible et sa face amaigrie,
Jette superbement sa chevelure en l'air,

Lorsque le vent du sud aux haleines plus lentes,
Comme un souffle sorti du sein de Caliban,
Apporte, vers le soir, dans le Jardin des Plantes,
Le parfum résineux du cèdre du Liban,

Moi, dans cette saison où renaît le bocage,
Soulevant vers le ciel ma tête avec fierté,
Je rugis quand je sens pénétrer dans ma cage
L'odeur des arbres verts et de la liberté.

Sainte-Pélagie, avril 1841.

Ainsi je fus, dans cette nuit d'exil,
prison et prisonnier et lueur à la fissure,
indéchiffrable signe en moi-même gravé,

exilé dans mon corps, dans ce fuseau de pierre,
oisif et prisonnier de lianes et de nerfs,
aveugle, traversant une secrète nuit

de bêtes enlacées, d'insectes et de dards,
où s'effrite la pierre, où s'usent le regard
et la bouche et le cœur à des limes funèbres,

m'alourdissant de tous mes songes, terrassé
par des meutes sorties de l'eau, dont les abois
cernaient, traquaient les gestes et les voix.

Je poursuivais un souvenir de branche
et de neige, un souvenir d'oiseau volant bas
dans le silence pourpre d'un ciel pulmonaire,

sur un rivage où neige, branche, oiseau
n'étaient que l'ombre exsangue et plus lointaine
d'une beauté violente en fuite sur les eaux.

Amadis JAMYN

QUE PERSONNE N'EST LIBRE

Nul, quiconque soit-il, ne vit en liberté.
Nul au monde n'est libre, et quelque servitude
Presse tous les humains de chaîne douce ou rude,
Selon qu'est le sujet de leur captivité.

L'un est serf de l'argent dont il est surmonté,
L'autre suit la fortune avec soin et étude,
L'un s'esclave aux Seigneurs payant d'ingratitude,
L'autre se fait captif de toute volupté.

L'un a l'ambition qui le tient en servage,
L'autre sert à un peuple et ingrat et volage,
Les lois d'autre côté nous empêchent d'user

Des mœurs et des façons qui souvent peuvent plaire :
Chacun a son lieu, mais beaucoup on peut faire
Quand au plus doux servage on se peut exposer.

José Maria de HEREDIA

L'ESCLAVE

Tel, nu, sordide, affreux, nourri des plus vils mets,
Esclave — vois, mon corps en a gardé les signes —
Je suis né libre au fond du golfe aux belles lignes
Où l'Hybla plein de miel mire ses bleus sommets.

J'ai quitté l'île heureuse, hélas !... Ah ! si jamais
Vers Syracuse et les abeilles et les vignes
Tu retournes, suivant le vol vernal des cygnes,
Cher hôte, informe-toi de celle que j'aimais.

Reverrai-je ses yeux de sombre violette,
Si purs, sourire au ciel natal qui s'y reflète
Sous l'arc victorieux que tend un sourcil noir ?

Sois pitoyable ! Pars, va, cherche Cléariste
Et dis-lui que je vis encor pour la revoir.
Tu la reconnaîtras, car elle est toujours triste.

LE LOUP ET LE CHIEN

Un loup n'avait que les os et la peau,
Tant les chiens faisaient bonne garde.
Ce loup rencontre un dogue aussi puissant que beau,
Gras, poli, qui s'était fourvoyé par mégarde.
L'attaquer, le mettre en quartiers,
Sire loup l'eût fait volontiers.
Mais il fallait livrer bataille ;
Et le mâtin était de taille
A se défendre hardiment.
Le loup donc l'aborde humblement,
Entre en propos, et lui fait compliment
Sur son embonpoint qu'il admire.
« Il ne tiendra qu'à vous, beau sire,
D'être aussi gras que moi, lui repartit le chien.
Quittez les bois, vous ferez bien :
Vos pareils y sont misérables,
Cancres, hères, et pauvres diables,
Dont la condition est de mourir de faim.
Car quoi ? Rien d'assuré ; point de franche lippée :
Tout à la pointe de l'épée.
Suivez-moi : vous aurez un bien meilleur destin. »
Le loup reprit : « Que me faudra-t-il faire ?
— Presque rien, dit le chien, donner la chasse aux gens
Portants bâtons et mendiants ;
Flatter ceux du logis, à son maître complaire ;
Moyennant quoi votre salaire
Sera force reliefs de toutes les façons :
Os de poulets, os de pigeons ;
Sans parler de mainte caresse. »
Le loup déjà se forge une félicité

Qui le fait pleurer de tendresse.
Chemin faisant il vit le col du chien pelé.
« Qu'est-ce là ? lui dit-il. — Rien. — Quoi rien ? — Peu de
 chose.
— Mais encor ? — Le collier dont je suis attaché
De ce que vous voyez est peut-être la cause.
— Attaché ? dit le loup ; vous ne courez donc pas
Où vous voulez ? — Pas toujours, mais qu'importe ?
Il importe si bien que de tous vos repas
Je ne veux en aucune sorte,
Et ne voudrais pas même à ce prix un trésor. »
Cela dit, maître loup s'enfuit, et court encor.

Les Muses lièrent un jour
De chaînes de roses Amour,
Et, pour le garder, le donnèrent
Aux Grâces et à la Beauté,
Qui, voyant sa déloyauté,
Sur Parnasse l'emprisonnèrent.

Sitôt que Vénus l'entendit,
Son beau ceston[1] elle vendit
A Vulcan pour la délivrance
De son enfant, et tout soudain,
Ayant l'argent dedans la main,
Fit aux Muses la révérence :

« Muses, déesses des chansons,
Quand il faudrait quatre rançons
Pour mon enfant je les apporte ;
Délivrez mon fils prisonnier. »
Mais les Muses l'ont fait lier
D'une autre chaîne bien plus forte.

Courage doncques, amoureux,
Vous ne serez plus langoureux :
Amour est au bout de ses ruses ;
Plus n'oserait ce faux garçon
Vous refuser quelque chanson,
Puis qu'il est prisonnier des Muses.

1. Ceston : ceinture.

les gens d'ici eux-mêmes
y étaient étrangers
mais ils étaient tous enchantés
et ne pouvaient se résoudre à quitter
la douceur de cet exil
à s'amarrer dans une terre enfin
où l'on fût solide et maître
d'une nature amie
la cruauté généreuse
des heures glissantes
des lambeaux de fraîcheur
perdus dans l'étouffement
et le mirage des fruits d'été
les retenaient captifs
malgré leur continuelle plainte
et depuis toujours
ils avaient ainsi vécu
provisoires
inchangés
caressés et tentés
par les vagues de l'histoire
ils n'étaient pas enracinés
mais lourds
et leurs mouvements les plus volontaires
parvenaient bien à les rouler
et à les renverser
mais non à leur faire prendre la mer
et conquérir le temps

LE DILEMME

J'ai vu des barreaux
je m'y suis heurté
c'était l'esprit pur.

J'ai vu des poireaux
je les ai mangés
c'était la nature.

Pas plus avancé !
Toujours des barreaux
toujours des poireaux !

Ah ! si je pouvais
laisser les poireaux
derrière les barreaux
la clé sous la porte
et partir ailleurs
parler d'autre chose !

NE...

Quand je valais quelque chose,
Digue, digue, digue,
Quand je valais quelque chose,

Ne touche pas au feu
Me disait le grand-oncle ;

N'ouvrez pas cette armoire,
Me disait la servante ;

N'approche pas du puits,
Me disait la grand'mère ;

Ne marche pas si vite,
Tu te mettras en nage ;

Ne cause pas en route,
Ne regarde pas en l'air ;

Ne regarde pas à droite,
Il y a la fleuriste ;

Ne regarde pas à gauche,
Il y a le libraire ;

Ne passe pas la rivière,
Ne monte pas la colline,
N'entre pas dans le bois.

André SPIRE

Moi j'ai pris mon chapeau
En éclatant de rire,
Mon manteau, mon bâton
En chantant : digue, digue !

La rivière, la colline,
Les grands bois, digue, digue !
Digue, digue, les beaux yeux,
Et digue, digue les livres !

LE PRISONNIER DE NANTES
(Milieu du XVIIᵉ siècle)

Dans les prisons de Nantes,
Dans les prisons de Nantes
il y a un prisonnier,
il y a un prisonnier.

Person'ne le va voir
que la fille au geôlier.

El lui apporte à boire,
à boire et à manger.

Et des chemises blanches
quand il en veut changer.

Un jour il lui demande :
« De moi oy'ous parler ? »

— « Le bruit court par la ville
que demain vous mourrez. »

— « Ah ! s'il faut que je meure,
déliez-moi les piés ! »

La fille étoit jeunette,
les piés lui a lâchés.

Le galant fort alerte,
dans la Loire a sauté.

Quand il fut sur la grève,
il se mit à chanter :

« Dieu bénisse les filles,
surtout celle au geôlier !

Si je reviens à Nantes,
oui, je l'épouserai. »

Jules ROMAINS

Un soir, quand il est près d'enjamber la fenêtre,
Le prisonnier qu'habite un patient génie,
Avec son traversin, sa veste et son bonnet
Fabrique un homme faux et le couche à sa place.
Car déjà le gardien se lève pour la ronde.
Puisse-t-il dans le feu clignant de sa lanterne
Voir un dormeur fantôme enfler les tristes draps !
Cependant l'homme vrai saute un mur après l'autre.
Sa prison se dissout dans l'ampleur de la terre,
Sa liberté grandit plus vite qu'il ne court.
Et lorsque les geôliers croient bondir à ses trousses,
A chaque pas qu'ils font sur la plaine sans traces
Le hasard et l'erreur s'ouvrent en éventail.

ROMAN POPULAIRE

Je n'en ai plus pour longtemps. Il faut que je réponde au juge d'instruction pour mon ami. Où sont les clés ? elles ne sont pas au bahut. Pardon, monsieur le juge, je dois chercher les clés. Les voici ! et quelle situation pour le juge ! Amoureux de la belle-sœur, il était près de renoncer à s'occuper de l'affaire, mais elle est venue le prier de prononcer un non-lieu et elle serait à lui. Au fond, le juge est très ennuyé de cette affaire. Il s'attarde aux détails : pourquoi tous ces dessins ? Je me lance dans un véritable cours d'esthétique. Un artiste a beaucoup d'œuvres autour de lui pour chercher des formes. Le soir tombe ; le juge ne comprend pas ! il parle de contrefaçons. Des amis arrivent. La femme de l'inculpé propose une promenade générale en voiture et le juge accepte espérant que l'inculpé saura s'évader.

De ma prison j'entends
Le chant venu des routes
Je me tends et j'écoute
Les pas se rapprochant

A force de me tendre
Mes liens se sont usés
Ils seront tôt brisés
Le jour (il faut l'attendre)

Où les chants et les pas
Résonneront aux portes :
Alors (faussement forte)
La prison s'ouvrira

L'ÉVASION

Ce producteur de radio avait trouvé un bien curieux sujet d'émission. Il faisait entendre les battements de cœur des vedettes présentées, à l'aide d'un micro appliqué sur la poitrine, puis il composait une chanson en se servant du rythme de cette audition.

Inutile de préciser le succès qu'obtint un tel programme. Pourtant, une des émissions fut bêtement ratée à cause d'un incident imprévisible et étonnant.

Le producteur venait de faire entendre le diamant vocal de Gladys Chantal, surnommée « Le rossignol de la chanson ». Appliquant le micro sur le sein ravissant de la non moins ravissante vedette, il donna pleine puissance pour faire entendre le métronome vital. Et c'est alors que la chose se produisit : un bruit d'ailes saccadé emplit les ondes, un frémissement désespéré d'oiseau en cage, puis un grand cri dépassa ce murmure, le cri d'un oiseau fonçant tête baissée vers les barreaux de sa prison...

Aujourd'hui encore, le producteur affirme avoir entendu le chant d'un oiseau invisible qui s'enfuyait vers la fenêtre, mais rares sont ceux qui ajoutent foi à de pareilles élucubrations. Une seule chose reste indiscutable : la chanteuse était morte. Le médecin, appelé d'urgence, diagnostiqua un arrêt du cœur.

ÉVASION

J'ai sonné
On m'a ouvert la porte
Je suis entré
Nul n'a vu le poème qui est entré devant moi
O ce dieu qui nous donne la main
Nous les poètes nous les saints
On nous ouvre la porte et l'on nous dit
Bonjour Monsieur il fait froid aujourd'hui
Oui pas mal et vous merci
Un jour un jour les aveugles verront
Et les sourds entendront
Ah mon Dieu
Les poètes ne seraient-ils plus seuls avec leur dieu
Marche marche tout au fond
Monte tout au haut tout au haut de la maison
Monte monte sur la maison
Et promène-toi sur les toits comme un couvreur
Et crie dans les cheminées
Ohé comme un ramoneur
Et maintenant assieds-toi donc dans la gouttière
Et balance tes pieds
Sur la ville qui court au ras de terre
Mais voici que tes jambes s'allongent
Tes pieds vont toucher le trottoir
Lève-toi et traverse la ville
En causant avec ton dieu

Gabriel **AUDISIO**

PAR-DESSUS LE TOIT
(fragment)

Ich verstand die Stille des Aethers
Der Menschen Worte verstand ich nicht

(Je comprenais le silence de l'Ether,
Je ne comprenais pas les mots humains.)

HÖLDERLIN.

Je comprenais les mots humains, je n'avais pas
Besoin, jamais, de prêter l'oreille aux espaces
Pour entendre le cœur lointain, la voix présente.
Comme il était facile à vivre, l'univers !
Mais comme il est plus grand le cachot sans yeux !
Aujourd'hui la rigueur qui m'y tient solitaire
Me voue à la lourde surdité de l'Absence :
Il n'est plus d'être, tous les mots sont mis en gage,
Dans le désert du Temps qui remplit mes artères
J'écoute le silence et je comprends les dieux.
Sublime où tu es libre, atroce dans les geôles,
Solitude mon miel combien tu fus amère
Entre les murs où nos cœurs fous cognaient leur sang !
Je songe aux innocents de pauvre cécité
Qui parlent de l'Esprit vainqueur sous tous les pôles.
Pas de pensée sans toi ô Mère Liberté !

Louis ARAGON

LA NUIT DE JUILLET

Je ne sais quel parfum pathétique et profond
Souffle une illusion de roses au plafond

Non ce n'est pas le jour ce ne sont pas des roses
Le motet des moteurs monotone et morose

Et non plus l'alouette en la nuit de Juillet
Où les grands projecteurs froissent leurs froids œillets

J'ai beau me dire Dors Il me faut reconnaître
Qu'un feu diffus met un peu d'or à ma fenêtre

L'ombre a plus de secrets que le cœur vert des eaux
Et les veilleurs parfois y cherchant des oiseaux

Leurs lanternes s'en vont effrayer les chouettes
Et ce n'est pas l'aurore et non plus l'alouette

Il n'en est plus besoin pour dire le moment
En un temps sans amour et des nuits sans amants

Pour un cri d'alouette est-ce qu'il ferait jour
Jadis un rossignol suffisait à l'amour

Or le jour que je dis a plus chère raçon
Que peut un rossignol si ce n'est sa chanson

Rêvé-je encore ou si c'est le ciel qui s'embrase
Il vole dans le vent de singulières phrases

On croirait les sanglots de Naples qui pleura
Quand à l'orgue jouait Nicola Porpora

Et c'est le doux parler des pêcheurs dans leur barque
Et c'est le doux parler de Laure et de Pétrarque

Le langage commun du Tasse et des faquins
De Saint François d'Assise et de Thomas d'Aquin

Qu'à Venise Othello tenait à Desdémone
Et que les violons sanglotaient dans Crémone

Les mots miraculeux fleurant dans leur creuset
Ce que Palladio dans la pierre disait

Et ce qu'à l'Ucello l'ombre magicienne
Répétait dans les soirs étouffants de Sienne

Les mots italiens auxquels s'est ajoutée
La rime liberté dans cette nuit d'été

Cette nuit c'est toujours la nuit de Michel-Ange
Mais l'espoir aux doigts d'aube y déchire ses langes

La noire fleur frémit Quel Angelus nettoie
Avant l'heure les monts et la douleur des toits

Comme l'âme écumante au convulsionnaire
Est-ce la blanche Paix de Cumes au Brenner

Est-ce la blanche Paix qui sort de l'incendie
Et ce rugissement est-ce Leopardi

Qui pourrait démêler ces lointaines clameurs
Est-ce un monde qui naît ou l'avenir qui meurt

Car tout être de chair jette indifféremment
Mêmes cris pour la mort et pour l'enfantement

Que disent-ils Quels noms de la foule renaissent
Qui mêlent au sang las le vin de la jeunesse

Gramsci Matteoti Ce ne sont ni des rois
Ni des chanteurs Ils n'ont pour flambeau que leurs croix

La mémoire du cœur dont il a la pratique
Est sa grammaire au peuple et sa mathématique

Gramsci Matteoti chantent sur l'Italie
Martyrs rien ne se perd Martyrs rien ne s'oublie

Le grave carillon des syllabes latines
Gramsci Matteoti sonne sonne matines

O si longtemps salie Italie-au-bourreau
Les îles Lipari te rendront tes héros

C'est encore une fois Juillet dont les dents brillent
C'est toujours en Juillet que grillent les Bastilles

Les roses de naguère expliquent leurs reflets
Par cette chienlit des Licteurs qui brûlaient

Enfin le feu s'est mis à la fête foraine
Qui soi-même consume au milieu de l'arène

Le carnaval de Rome aura duré vingt ans
César n'y fera plus la pluie et le beau temps

Le pitre le jongleur et le danseur de corde
Courent de tous côtés criant miséricorde

Aux grelots de son char pend le faux Phaéton
Et le sable est jonché de masques en carton

L'équilibriste tombe et l'avaleur d'étoupe
Flambe avec l'avaleur de sabre qui se coupe

Et tandis que le peuple éprouve qu'il est grand
A comment dans leur cirque il foule ses tyrans

L'étalon Liberté crevant l'écran de toile
Dante sort de l'enfer et revoit les étoiles

PAGE D'ÉCRITURE

Deux et deux quatre
quatre et quatre huit
huit et huit font seize...
Répétez ! dit le maître
Deux et deux quatre
quatre et quatre huit
huit et huit font seize.
Mais voilà l'oiseau-lyre
qui passe dans le ciel
l'enfant le voit
l'enfant l'entend
l'enfant l'appelle :
Sauve-moi
joue avec moi
oiseau !
Alors l'oiseau descend
et joue avec l'enfant
Deux et deux quatre...
Répétez ! dit le maître
et l'enfant joue
l'oiseau joue avec lui...
Quatre et quatre huit
huit et huit font seize
et seize et seize qu'est-ce qu'ils font ?
Ils ne font rien seize et seize
et surtout pas trente-deux
de toute façon
et ils s'en vont.
Et l'enfant a caché l'oiseau
dans son pupitre

et tous les enfants
entendent sa chanson
et tous les enfants
entendent la musique
et huit et huit à leur tour s'en vont
et quatre et quatre et deux et deux
à leur tour fichent le camp
et un et un ne font ni une ni deux
un à un s'en vont également.
Et l'oiseau-lyre joue
et l'enfant chante
et le professeur crie :
Quand vous aurez fini de faire le pitre !
Mais tous les autres enfants
écoutent la musique
et les murs de la classe
s'écroulent tranquillement.
Et les vitres redeviennent sable
l'encre redevient eau
les pupitres redeviennent arbres
la craie redevient falaise
le porte-plume redevient oiseau.

CHANSON DU PLUS LÉGER
QUE LA MORT

A toute vitesse par assises chaudes
Qui se cristallisent dans la hauteur
Nous coupons la fête ! Ce n'est pas Montmartre !
Ce n'est pas en bas
Quand le canon tonne !
Ce n'est pas la guerre
Aux parcs mugissants !
Nous sommes les hommes sans murailles !
Nous montons en chœur dans la musique !

> Chacun à sa baraque
> Les dieux font la parade
> Petits dieux qui racolent
> Le feu qui dans l'espace
> Mêle les vérités !
> Par ici la mystique
> Ici la vraie la seule
> Le sanhédrin spirite
> Le polypier des schismes
> La scissiparité
> Du concile de Trente
> Le pet des manitous
> Le pas des cannibales
> Les massacres d'idoles
> Le sang de Coligny !
> Par ici les beaux-arts
> Le basalte de Bach
> Le bûcher de Wagner
> Rembrandt et Michel-Ange

La foudre faite chair !
Par ici les penseurs
Les bouteilles des doctrines
Les aludels des systèmes
Les flacons des hypothèses
Les spirochètes d'idées
Qui vont à toute vitesse
Sur l'ardente glace, assez !

AVARE

M'alléger
me dépouiller

réduire mon bagage à l'essentiel

Abandonnant ma longue traîne de plumes
de plumages
de plumetis et de plumets

devenir oiseau avare
ivre du seul vol de ses ailes

COMPLET BLANC

Je me promène sur le pont dans mon complet blanc acheté à
   Dakar
Aux pieds j'ai mes espadrilles achetées à Villa Garcia
Je tiens à la main mon bonnet basque rapporté de Biarritz
Mes poches sont pleines de Caporal Ordinaire
De temps en temps je flaire mon étui en bois de Russie
Je fais sonner des sous dans ma poche et une livre sterling en
   or
J'ai mon gros mouchoir calabrais et des allumettes de cire de
   ces grosses que l'on ne trouve qu'à Londres
Je suis propre lavé frotté plus que le pont
Heureux comme un roi
Riche comme un milliardaire
Libre comme un homme

L'ENFANT

O horror ! horror ! horror !
SHAKESPEARE. Macbeth.

Les Turcs ont passé là. Tout est ruine et deuil.
Chio, l'île des vins, n'est plus qu'un sombre écueil,
    Chio, qu'ombrageaient les charmilles,
Chio, qui dans les flots reflétait ses grands bois,
Ses coteaux, ses palais, et le soir quelquefois
    Un chœur dansant de jeunes filles.

Tout est désert. Mais non ; seul près des murs noircis,
Un enfant aux yeux bleus, un enfant grec, assis,
    Courbait sa tête humiliée ;
Il avait pour asile, il avait pour appui
Une blanche aubépine, une fleur, comme lui
    Dans le grand ravage oubliée.

Ah ! pauvre enfant, pieds nus sur les rocs anguleux !
Hélas ! pour essuyer les pleurs de tes yeux bleus
    Comme le ciel et comme l'onde,
Pour que dans leur azur, de larmes orageux,
Passe le vif éclair de la joie et des jeux,
    Pour relever ta tête blonde,

Que veux-tu ? Bel enfant, que te faut-il donner
Pour rattacher gaîment et gaîment ramener
     En boucles sur ta blanche épaule
Ces cheveux, qui du fer n'ont pas subi l'affront,
Et qui pleurent épars autour de ton beau front,
     Comme les feuilles sur le saule ?

Qui pourrait dissiper tes chagrins nébuleux ?
Est-ce d'avoir ce lys, bleu comme tes yeux bleus,
     Qui d'Iran borde le puits sombre ?
Ou le fruit du tuba, de cet arbre si grand,
Qu'un cheval au galop met, toujours en courant,
     Cent ans à sortir de son ombre ?

Veux-tu, pour me sourire, un bel oiseau des bois,
Qui chante avec un chant plus doux que le hautbois,
     Plus éclatant que les cymbales ?
Que veux-tu ? fleur, beau fruit, ou l'oiseau merveilleux ?
— Ami, dit l'enfant grec, dit l'enfant aux yeux bleus,
     Je veux de la poudre et des balles.

8-10 juin 1828.

MA BOHÈME
(Fantaisie)

Je m'en allais, les poings dans mes poches crevées ;
Mon paletot aussi devenait idéal ;
J'allais sous le ciel, Muse ! et j'étais ton féal ;
Oh ! là là ! que d'amours splendides j'ai rêvées !

Mon unique culotte avait un large trou.
— Petit-Poucet rêveur, j'égrenais dans ma course
Des rimes. Mon auberge était à la Grande-Ourse.
— Mes étoiles au ciel avaient un doux frou-frou.

Et je les écoutais, assis au bord des routes,
Ces bons soirs de septembre où je sentais des gouttes
De rosée à mon front, comme un vin de vigueur ;

Où, rimant au milieu des ombres fantastiques,
Comme des lyres, je tirais les élastiques
De mes souliers blessés, un pied près de mon cœur !

Les vagues prisonnières ne respirent pas facilement sous un toit. Elles se décolorent, elles perdent leur chevelure d'écume, et jusqu'à cette façon de ployer le torse.

Mais malheur à qui fut assez adroit pour capturer une jeune vague, non point assez vigilant pour l'endormir.

Un coquillage oublié dans la maison, quelque forme de vaisseau, lui rend l'instinct de sa race sauvage ; et voici qu'elle se gonfle, élève sa fureur et se précipite, emportant tout à la mer, où elle recommence une vie d'une grande beauté.

LA BARQUE

La barque tire sur sa longe, hoche le corps d'un pied sur l'autre, inquiète et têtue comme un jeune cheval.

Ce n'est pourtant qu'un assez grossier réceptacle, une cuiller de bois sans manche : mais, creusée et cintrée pour permettre une direction du pilote, elle semble avoir son idée, comme une main faisant le signe couci-couça.

Montée, elle adopte une attitude passive, file doux, est facile à mener. Si elle se cabre, c'est pour les besoins de la cause.

Lâchée seule, elle suit le courant et va, comme tout au monde, à sa perte tel un fétu.

AFRIQUE

à ma mère

Afrique mon Afrique
Afrique des fiers guerriers dans les savanes ancestrales
Afrique que chante ma grand-Mère
Au bord de son fleuve lointain
Je ne t'ai jamais connue
Mais mon regard est plein de ton sang
Ton beau sang noir à travers les champs répandu
Le sang de ta sueur
La sueur de ton travail
Le travail de l'esclavage
L'esclavage de tes enfants
Afrique dis-moi Afrique
Est-ce donc toi ce dos qui se courbe
Et se couche sous le poids de l'humilité
Ce dos tremblant à zébrures rouges
Qui dit oui au fouet sur les routes de midi
Alors gravement une voix me répondit
Fils impétueux cet arbre robuste et jeune
Cet arbre là-bas
Splendidement seul au milieu des fleurs blanches et fanées
C'est l'Afrique ton Afrique qui repousse
Qui repousse patiemment obstinément
Et dont les fruits ont peu à peu
L'amère saveur de la liberté.

Ce n'est pas assez encore !

Que m'importe la porte ouverte, si je n'ai la clef ?
Ma liberté, si je n'en suis le propre maître ?
Je regarde toutes choses, et voyez tous que je n'en suis pas
l'esclave, mais le dominateur.
Toute chose
Subit moins qu'elle n'impose, forçant que l'on s'arrange
d'elle, tout être nouveau
Une victoire sur les êtres qui étaient déjà !
Et vous qui êtes l'Être parfait, vous n'avez pas empêché que
je ne sois aussi !
Vous voyez cet homme que je fais et cet être que je prends
en vous.
O mon Dieu, mon être soupire vers le vôtre !
Délivrez-moi de moi-même ! délivrez l'être de la condition !
Je suis libre, délivrez-moi de la liberté !
Je vois bien des manières de ne pas être, mais il n'y a qu'une
manière seule
D'être, qui est d'être en vous, qui est vous-même !
L'eau
Appréhende l'eau, l'esprit odore l'essence.
Mon Dieu, qui avez séparé les eaux inférieures des eaux su-
périeures,
Mon cœur gémit vers vous, délivrez-moi de moi-même
parce que vous êtes !

Qu'est-ce que cette liberté, et qu'ai-je à faire autre part ?
Il me faut vous soutenir.
Mon Dieu, je vois le parfait homme sur la croix, parfait sur
le parfait Arbre.

Votre Fils et le nôtre, en votre présence et dans la nôtre
cloué par les pieds et les mains de quatre clous,
Le cœur rompu en deux et les grandes Eaux ont pénétré
jusqu'à son cœur !
Délivrez-moi du temps et prenez mon cœur misérable, pre-
nez, mon Dieu, ce cœur qui bat !
Mais je ne puis forcer en cette vie
Vers vous à cause de mon corps et votre gloire est comme la
résistance de l'eau salée !
La superficie de votre lumière est invincible et je ne puis
trouver
Le défaut de vos éclatantes ténèbres !

Vous êtes là et je suis là.
Et vous m'empêchez de passer et moi aussi je vous empêche
de passer.
Et vous êtes ma fin, et moi aussi je suis votre fin.
Et comme le ver le plus chétif se sert du soleil pour vivre et
de la machine des planètes,
Ainsi pas un souffle de ma vie que je ne prenne à votre éter-
nité.
Ma liberté est limitée par mon poste dans votre captivité et
par mon ardente part au jeu !
Afin que pas ce rayon de votre lumière vie-créante qui
m'était destiné n'échappe.
Et je tends les mains à gauche et à droite
Afin qu'aucune par moi
Lacune dans la parfaite enceinte qui est de vos créatures
existe !
Il n'y a pas besoin que je sois mort pour que vous viviez !

LA LIBERTÉ

Un homme qui avait tué se retrouva quand même un beau matin, après vingt ans de bagne, libre comme l'air. On le mit poliment à la porte avec de quoi vivre un mois entier, à condition de ne pas exagérer le superflu. Il pouvait être huit heures. Il commença la journée par une étude du vol des pigeons sur la place de l'Hôtel-de-Ville. On l'observa de mauvais œil. Et midi n'avait pas sonné qu'un agent vint lui signaler l'interdiction formelle de flâner sur la place.

« Qui êtes-vous d'abord ? »

« Je suis un homme libre. »

Et l'agent, même si c'est contre sa nature, pensa. Et pensant, il pensait : « Encore un révolutionnaire. »

« Suivez-moi. »

Chemin faisant, l'agent malin le talonna sur la liberté.

« Je cherche depuis longtemps celui qui me dira ce que c'est qu'être libre. Je me suis dit souvent que seul un ancien forçat pourrait en parler à l'aise, celui qui aurait pris dix ans ou plus. »

« Cela ne se trouve pas dans les quatre fers d'un cheval. Et même si vous le trouviez, il n'est pas certain qu'un tel homme puisse vous parler de la liberté. »

Le forçat lui proposa alors de lui donner un exemple qui puisse lui fournir quelques heures de réflexion sur la question, et, lui prenant comme par jeu ses clefs et ses menottes, vous écroua bel et bien, tout en discutant de fort habile manière, l'agent provocateur.

Puis il alla s'occuper de pigeons.

A quelque temps de là, l'agent fut révoqué pour incompétence, et mourut écrasé par un train. Cela fit grand tapage et notre homme libre, l'ayant appris, sollicita l'honneur de prendre sa place et, malgré son passé, l'obtint.

Il élève des pigeons voyageurs, mais c'est pure fantaisie. Il ne leur donne jamais de message.

Hymnes
et
incantations

Le vin de la liberté aigrit vite
s'il n'est, à demi bu,
rejeté au cep.

René CHAR

HÂTE-TOI VERS LA JOIE IMMENSE

Hâte-toi vers la joie immense et terrestre, c'est la coupe des paupières qui cogne en dansant contre la paroi de nuit. Assez de la mort explicite, allègre mort utilisée jusqu'au vernis de l'ongle, jeunesse perdue dans les apostrophes de l'hypocrisie ! Assez des ternes souffles des cœurs tressés dans les paniers salubres ! Hâte-toi vers la joie humaine qui est inscrite sur ton front comme une dette indélébile !

Une nouvelle forme de crudité estivale est en train de descendre sur la brume du monde en flocons d'herbe lente et de la couvrir d'une mince couche de joie prévue, d'un glorieux avenir pressenti dans l'acier. Hâte-toi, c'est la joie brillante et humaine qui t'attend au détour de ce monde démembré, que l'on parle dans la langue de l'asphalte ! Il y a des revers, des sources scellées, des lèvres sur des tambourins et des yeux sans indifférence. Le sel et le feu t'attendent sur la colline minérale de l'incandescence de vivre.

André FRÉNAUD

14 JUILLET

à Jean Lescure

Le rouge des gros vins bleus,
la blancheur de mon âme,
Je chante les moissons de la République
sur la tête des enfants sages
le soir du quatorze juillet.

Et l'ivresse de fraternité des hommes dans les rues,
aux carrefours des rêves de la jeunesse
et des soupirs de l'âge,
au rendez-vous de la mémoire et des promesses,
dans le reverdissement de l'espoir par la danse.

C'est le triomphe de la tendresse,
l'artifice qui va ranimer,
devant, derrière, les journées grises.
Viens, toi que j'aurai tant aimée,
plus tard... quand je t'aurai ourdie
de tant de moires et de rages,
tant qu'enfin je t'ai rendue telle :
en pouvoir de rompre mon cœur...
O mon silence armé d'orage,
aujourd'hui tu es cri gentil
de rencontre avec l'aventure !

C'est le jour de fête de la Liberté.
Nous avions oublié la vieille mère
dont les anciens ont planté les arbres.

Il est des morts vaincus qu'il faut précipiter
encore un coup du haut des tours en pierre.
Il est des assauts qu'il faut toujours reprendre.
Il est des chants qu'il faut chanter en chœur,
des feuillages à brandir et des drapeaux
pour ne pas perdre le droit des arbres
de frémir au vent.

Nous allons en cortège comme une noce solennelle.
Nous portons le feu débonnaire des lampions.
Soumis à notre humble honneur, le geste gauche.
Les bals entrent dans la troupe et les accordéons.

Le génie de la Bastille a sauté parmi nous.
Il chante dans la foule, sa voix mâle nous emplit.
Au Faubourg s'est gonflé le levain de Paris.
Dans la pâte, nous trouverons des guirlandes de verdure,
Quand nous défournerons le pain de la justice...
C'est aujourd'hui ! Nous le partageons en un banquet,
sur de hautes tables avec des litres.
Le monde est en liesse, buvons et croyons !

Je bois à la joie du peuple, au droit de l'homme
de croire à la joie au moins une fois l'an.
A l'iris tricolore de l'œil apparaissant
entre les grandes paupières de l'angoisse.
A la douceur précaire, à l'illusion de l'amour.

STELLA

Je m'étais endormi la nuit près de la grève.
Un vent frais m'éveilla, je sortis de mon rêve,
J'ouvris les yeux, je vis l'étoile du matin.
Elle resplendissait au fond du ciel lointain
Dans une blancheur molle, infinie et charmante.
Aquilon s'enfuyait emportant la tourmente.
L'astre éclatant changeait la nuée en duvet.
C'était une clarté qui pensait, qui vivait ;
Elle apaisait l'écueil où la vague déferle ;
On croyait voir une âme à travers une perle.
Il faisait nuit encor, l'ombre régnait en vain,
Le ciel s'illuminait d'un sourire divin.
La lueur argentait le haut du mât qui penche ;
Le navire était noir, mais la voile était blanche ;
Des goélands debout sur un escarpement,
Attentifs, contemplaient l'étoile gravement
Comme un oiseau céleste et fait d'une étincelle.
L'océan, qui ressemble au peuple, allait vers elle,
Et, rugissant tout bas, la regardait briller,
Et semblait avoir peur de la faire envoler.
Un ineffable amour emplissait l'étendue.
L'herbe verte à mes pieds frissonnait éperdue.
Les oiseaux se parlaient dans les nids ; une fleur
Qui s'éveillait me dit : c'est l'étoile ma sœur.
Et pendant qu'à longs plis l'ombre levait son voile,
J'entendis une voix qui venait de l'étoile
Et qui disait : — Je suis l'astre qui vient d'abord.
Je suis celle qu'on croit dans la tombe et qui sort.
J'ai lui sur le Sina, j'ai lui sur le Taygète ;
Je suis le caillou d'or et de feu que Dieu jette,

Comme avec une fronde, au front noir de la nuit.
Je suis ce qui renaît quand un monde est détruit.
O nations ! je suis la Poésie ardente.
J'ai brillé sur Moïse et j'ai brillé sur Dante.
Le lion océan est amoureux de moi.
J'arrive. Levez-vous, vertu, courage, foi !
Penseurs, esprits, montez sur la tour, sentinelles !
Paupières, ouvrez-vous ! allumez-vous, prunelles !
Terre, émeus le sillon ; vie, éveille le bruit ;
Debout, vous qui dormez ! — car celui qui me suit,
Car celui qui m'envoie en avant la première,
C'est l'ange Liberté, c'est le géant Lumière !

LIBERTÉ

Liberté que je veux, liberté dont je suis malade et qui me torture et qui me tue comme la soif, je voudrais une fois au moins dans ma vie apercevoir ton visage. Une seule fois et je serais content.

Chaque fois que je soupçonne ta présence et que quelque chose me dit simplement : « Elle est là », je sais que mon cœur à l'instant même bat plus fort et que mes jambes souffrent du désir de courir. Une odeur étrange tourne dans l'air, un son plus pur, une voix plus calme et cette lumière plus merveilleuse que la joie. Il suffit que je sache ta vie proche de la mienne pour que, ô Liberté, je sois plus grand, plus fort, plus décidé.

Tu n'es vraiment mienne et je ne suis sûrement ton esclave, que lorsque ton absence me pèse, me fait râler d'angoisse. Je suis un être déchu, je serre les coudes contre mon corps tremblant, je ferme mes poings, je courbe le dos. Tu n'es pas là.

Liberté, quand tout s'endort et que la nuit comme la plus vieille des déesses tourne la tête, que la lune comme un hibou lance son petit cri, alors je sais que tu t'approches dans ta robe de soie, dans ta robe qui est plus belle que la nudité et j'attends. Mes lèvres, mes oreilles, mes doigts deviennent plus rouges qu'une araignée de muraille et mon cœur dans ma poitrine est un petit taureau. Déjà, j'ai vu trente fois venir une nouvelle année, déjà je vois que le soleil est le plus fidèle des amoureux, déjà j'oublie que je suis né et que je dois mourir, mais, Liberté, je suis plus pauvre que jamais, plus sincère que toujours, parce que tu ne m'as pas violé, ô Liberté.

Je vois très loin, dans un village de montagnes, le linge sécher sur une prairie et le soleil s'amuser à brouter, mais près de là, sur la route, des hommes s'avancent le dos courbé pour absorber le repas du soir et dormir sans protester. Ils ont oublié que le ciel était comme une grande main ouverte, que la route qu'ils usent chaque jour un peu plus, conduit au torrent ou à cette mer bleue comme l'aimant, ils ont oublié que leur sexe pourrait peut-être servir à quelque chose et que leurs pieds puent le renfermé, ils ont tout oublié sauf de boire et de manger, mais il faut les punir, Liberté, il faut les punir parce qu'ils ne savent que posséder.

Un homme dont le nez est un réservoir à poussière et la bouche un vieux hangar pour ranger des dents se penche sur la terre, et voudrait en manger un petit morceau étalé sur une miche de pain qu'il a conservée soigneusement. Celui-là aime la terre, celle qui est sa terre, qui a un goût spécial, un goût d'excrément et il veut la garder. Au besoin, même, est-ce qu'il ne s'y ferait pas enterrer pour mieux la surveiller ? Près de lui, ô Liberté, il y a un chien qui saute et qui se fout du tiers et du quart, et qui s'amuse à pisser sur les fleurs, gentiment. Liberté à tête d'étoile, n'oublie pas cet homme qui lèche la terre comme si c'était du sucre. Je sais bien que je ne suis pas le seul qui t'appelle et qui voudrait te suivre, que d'autres sont aussi tes amis, mais je suis le plus lâche et le plus bête de tous ceux-là. Alors il faut que tu me fasses signe le premier, parce que je suis le plus lent et le plus lourd et que je ne peux vraiment plus vivre sans toi, parce que je vais crever de soif et que l'encre que je me donne à boire ne suffit vraiment plus à étancher cette brûlure. Je sais bien, Liberté chérie, qu'il suffit d'un signe, d'un signal que je verrais et que d'un seul bond je me dresserais. Je pense à toi, Liberté.

Il y en a qui rient et qui se moquent et d'autres aussi qui haussent les épaules et qui avancent des lèvres jaunes comme du crottin. Je sais bien qu'ils n'ont qu'à fermer leur gueule bien fort et à regarder ce qui se passera. Il y a aussi ceux qui savent, ceux qui sont très forts et font des calculs très savants avec des chiffres et des statistiques, mais qui sont plus bêtes que les autres. Ce sont ceux-là que l'on appelle les gens d'avenir. Liberté, je suis simplement un garçon de Liberté et j'oublie tout le reste sans grand effort, parce que j'ai soif, une soif de loup qui est quelquefois une soif de sang frais, de ton sang, Liberté. On m'a dit qu'il y avait des gens prêts à tout pour te barrer la route et pour supprimer ceux qui veulent suivre tes pas. Ils ne se sont pas regardés, ces idiots à tête velue. Est-ce qu'ils ne savent donc pas, Liberté, que cette mort qu'ils brandissent comme un épouvantail est une de nos amies et qu'elle est ta sœur, et que nous saurons l'aimer si tu nous le conseilles ; que nous te préférons parce que nous avons encore foi en toi mais qu'elle ne nous effraye pas, et que pour te suivre nous n'hésiterons pas à prendre un chemin qui conduit rapidement jusqu'à elle. Alors, Liberté, un seul signe, un grand signe, comme une aurore ou comme un jet de sang.

LA LIBERTÉ

La liberté naquit de la parole,
Elle fut chant dès son premier éveil
Et nul ne put jamais la museler
Sans en périr à lui-même et au monde.

Ce bel oiseau que l'on tient dans sa cage,
Ce rossignol dont on crève les yeux,
Cet enchaîné du corps et des abysses,
Même en prison se dira l'être libre.

« J'écris ton nom... » répétait un poète.
— Qui ricana : « Ce pourrait être Amour
Ou bien tout mot qu'on met en majuscule » ?
Mais c'était vrai, car ce grand mot gigogne
En contient mille et qui parlent de joie.

Cours mon cheval avec tes quatre fers,
Le premier d'air et le second de feu.
Trois, c'est la terre et quatre l'eau des rêves
Et le chemin, c'est le monde où tu vis.

Dansons l'orage et dansons l'arc-en-ciel,
Je vous convie à la fête éternelle.
Mon bel enfant, les os de ton festin,
Garde-les-moi, j'en ferai des reliques,
Ils chanteront comme de jeunes flûtes.

Odilon-Jean PÉRIER

LA LIBERTÉ

Le réseau des vivants, les rideaux du feuillage,
Balancés, soulevés par le vent des couleurs,
Forment, de bras dorés, de branches, de nuages,
Ce piège magnifique et fermé comme un cœur :
O monde couronné de visages qui brûlent
Je ne puis, je ne puis me déprendre de toi !
Je chasse tes oiseaux, tu fais un crépuscule
Ramenant avec lui leurs ailes sur mon toit ;
J'arrache le fruit vert à tes branches impures,
Je frappe tes enfants sur la bouche qui rit !
Mais déjà, par amour, je soigne leurs blessures,
Mais le fruit dans ma main se colore et mûrit...

Tant d'hommes ! tant de corps oublieux de leur gloire,
Que tient dans ses genoux la triste douce chair,
Tant de lâches riant de n'avoir plus d'histoire,
Sous un ciel que saisit la danse des éclairs,
Mortels abandonnés aux caresses, mortelles
Oubliant un bras souple entre d'autres, laissant
Quelque bouche s'ouvrir au bord d'une plus belle
Et leur haleine aller au hasard d'un amant.

HYMNE DE LA LIBERTÉ

O mémoire des morts exhalée de la terre
Lumière qui montais du silence du sol
Tu faiblis, et dans le passé les pas se perdent
L'homme au soir des nations est seul. Les tyrans
Ont soumis jusqu'aux monts ultimes de l'histoire
Et réprimé le pouls des fleuves sous leur poids :
Leurs géantes statues défient la nuit géante
A leur front luit une escarboucle de malheur
Dont la lueur séduit la misère des hommes
Car un froid noir rayonne d'elle, et dans le sang
Allume les ardeurs sans nom de la ténèbre

Tandis qu'en haut avec la liberté le Ciel se meurt.

Mais pendant que les dieux grimacent dans leur nuit
Et que le mal barbouille de haine les visages
(Le corps à corps dans la noirceur est sans merci
Le sang a de l'enfer l'odeur inextinguible)
Tu montes au nadir du monde inverse et nu
Et voici que dans notre nuit médite encore
La musique de tes astres bienheureux,
Voici que notre sang s'émeut de nostalgie
Comme si ta douceur lui était révélée
Au fort de son acharnement à se connaître,
Au plus cruel de sa colère contre soi :
C'est loin dans le secret le bruit d'une fontaine
C'est un regret plus murmurant que les forêts
C'est la lumière issue de l'intime des choses

Si sourde, mais qui bouleverse l'univers
Et rend la nuit plus frénétique et plus absurde
En sa fureur contre le simple jour de Dieu.

Au calme de ton firmament intérieur
Tout répond, des arbres immobiles en prière
Aux maisons contemplantes et aux monts.
Cet air natal de l'oraison n'est que Chant nu
Paysage inépuisable et pacifiant de l'âme
Accord de l'arbre au rythme clair des horizons
Et merveilleuse humilité de la vision.
Tendu dans la présence orante je suis libre
Et me tiens droit drapé dans le limon des morts,
Aimé de Dieu. L'oblation de mes mains noires
C'est le monde par moi vivant et libre encor
Ce monde que Dieu m'a donné pour que j'y vive
Ce monde sans figure et sans voix dont je suis
Le visage et le chant futurs car je suis libre
Et rien ne brise mon regard transfigurant.
Vous ne pouvez emprisonner la vision
Vous ne pouvez empêcher l'arbre d'être libre :
La face de vos victimes l'avez-vous vue
Dans la gloire tragique et crue de la souffrance
Comme un stigmate ineffaçable au cœur de Dieu ?
Leur mort même est encore la liberté de Dieu
Le cri d'éternité de la vie contre l'homme
L'audacieuse crucifixion aux quatre vents
Lettre de mort libérant l'homme de soi-même
Par un pardon plus écrasant que son péché.

O mes frères dans les prisons vous êtes libres
Libres les yeux brûlés les membres enchaînés
Le visage troué les lèvres mutilées
Vous êtes ces arbres violents et torturés
Qui croissent plus puissants parce qu'on les émonde
Et surtout le pays d'humaine destinée
Votre regard d'hommes vrais est sans limites
Votre silence est la paix terrible de l'éther.

Par-dessus les tyrans enroués de mutisme
Il y a la nef silencieuse de vos mains
Par-dessus l'ordre dérisoire des tyrans
Il y a l'ordre des nuées et des cieux vastes
Il y a la respiration des monts très bleus
Il y a les libres lointains de la prière
Il y a les larges fronts qui ne se courbent pas
Il y a les astres dans la liberté de leur essence
Il y a les immenses moissons du devenir
Il y a dans les tyrans une angoisse fatale
Qui est la liberté effroyable de Dieu.

LIBERTÉ

Sur mes cahiers d'écolier
Sur mon pupitre et les arbres
Sur le sable sur la neige
J'écris ton nom

Sur toutes les pages lues
Sur toutes les pages blanches
Pierre sang papier ou cendre
J'écris ton nom

Sur les images dorées
Sur les armes des guerriers
Sur la couronne des rois
J'écris ton nom

Sur la jungle et le désert
Sur les nids sur les genêts
Sur l'écho de mon enfance
J'écris ton nom

Sur les merveilles des nuits
Sur le pain blanc des journées
Sur les saisons fiancées
J'écris ton nom

Sur tous mes chiffons d'azur
Sur l'étang soleil moisi
Sur le lac lune vivante
J'écris ton nom

Sur les champs sur l'horizon
Sur les ailes des oiseaux
Et sur le moulin des ombres
J'écris ton nom

Sur chaque bouffée d'aurore
Sur la mer sur les bateaux
Sur la montagne démente
J'écris ton nom

Sur la mousse des nuages
Sur les sueurs de l'orage
Sur la pluie épaisse et fade
J'écris ton nom

Sur les formes scintillantes
Sur les cloches des couleurs
Sur la vérité physique
J'écris ton nom

Sur les sentiers éveillés
Sur les routes déployées
Sur les places qui débordent
J'écris ton nom

Sur la lampe qui s'allume
Sur la lampe qui s'éteint
Sur mes maisons réunies
J'écris ton nom

Sur le fruit coupé en deux
Du miroir et de ma chambre
Sur mon lit coquille vide
J'écris ton nom

Sur mon chien gourmand et tendre
Sur ses oreilles dressées
Sur sa patte maladroite
J'écris ton nom

Sur le tremplin de ma porte
Sur les objets familiers
Sur le flot du feu béni
J'écris ton nom

Sur toute chair accordée
Sur le front de mes amis
Sur chaque main qui se tend
J'écris ton nom

Sur la vitre des surprises
Sur les lèvres attentives
Bien au-dessus du silence
J'écris ton nom

Sur mes refuges détruits
Sur mes phares écroulés
Sur les murs de mon ennui
J'écris ton nom

Sur l'absence sans désir
Sur la solitude nue
Sur les marches de la mort
J'écris ton nom

Sur la santé revenue
Sur le risque disparu
Sur l'espoir sans souvenir
J'écris ton nom

Et par le pouvoir d'un mot
Je recommence ma vie
Je suis né pour te connaître
Pour te nommer

Liberté.

HYMNE AU PRINTEMPS

Les blés sont mûrs et la terre est mouillée
Les grands labours dorment sous la gelée
L'oiseau si beau hier s'est envolé
La porte est close sur le jardin fané

Comme un vieux râteau oublié
Sous la neige je vais hiverner
Photos d'enfants qui courent dans les champs
Seront mes seules joies pour passer le temps
Mes cabanes d'oiseaux sont vidées
Le vent pleure dans la cheminée
Mais dans mon cœur je m'en vais composer
L'hymne au printemps pour celle qui m'a quitté

Quand mon amie viendra par la rivière
Au mois de mai, après le dur hiver
Je sortirai, bras nus, dans la lumière
Et lui dirai le salut de la terre

Vois, les fleurs ont recommencé
Dans l'étable crient les nouveau-nés
Viens voir la vieille barrière rouillée
Endimanchée de toiles d'araignée
Les bourgeons sortent de la mort
Papillons ont des manteaux d'or
Près du ruisseau sont alignées les fées
Et les crapauds chantent la liberté

Aimé CÉSAIRE

BATOUQUE
(fragment)

batouque de nuit sans noyau
de nuit sans lèvres
cravatée du jet de ma galère sans nom
de mon oiseau de boomerang
j'ai lancé mon œil dans le roulis dans la guinée du désespoir et
   de la mort
tout l'étrange se fige île de Pâques, île de Pâques.
tout l'étrange coupé des cavaleries de l'ombre
un ruisseau d'eau fraîche coule dans ma main sargasse de cris
   fondus
Et le navire dévêtu creusa dans la cervelle des nuits têtues
mon exil-minaret-soif-des-branches
batouque
Les courants roulèrent des touffes de sabres d'argent
et de cuillers à nausée
et le vent troué des doigts du SOLEIL
tondit de feu l'aisselle des îles à cheveux d'écumes
batouque de terres enceintes
batouque de mer murée
batouque de bourgs bossus de pieds pourris de morts
   épelées dans le désespoir sans prix du souvenir
Basse-Pointe, Diamant, Tartane, et Caravelle
sekels d'or, rabots de flottaisons assaillis de gerbes et de nielles
cervelles tristes rampées d'orgasmes
tatou fumeux
O les kroumens amuseurs de ma barre !
le soleil a sauté des grandes poches marsupiales de la mer sans
   lucarne

en pleine algèbre de faux cheveux et de rails sans tramway ;
batouque, les rivières lézardent dans le heaume délacé des
  ravins
les cannes chavirent aux roulis de la terre en crue de bosses de
  chamelle
les anses défoncent de lumières irresponsables les vessies sans
  reflux de la pierre

soleil, aux gorges !
noir hurleur, noir boucher, noir corsaire batouque déployé
  d'épices et de mouches
Endormi troupeau de cavales sous la touffe de bambous
  saigne, saigne troupeau de carambas.
Assassin je t'acquitte au nom du viol.
Je t'acquitte au nom du Saint-Esprit
Je t'acquitte de mes mains de salamandre.
Le jour passera comme une vague avec les villes en bandou-
  lière
dans sa besace de coquillages gonflés de poudre
Soleil, soleil, roux serpentaire accoudé à mes transes de
  marais en travail
le fleuve de couleuvres que j'appelle mes veines
le fleuve de créneaux que j'appelle mon sang
le fleuve de sagaies que les hommes appellent mon visage
le fleuve à pied autour du monde
frappera le roc artésien d'un cent d'étoiles à mousson.

Liberté mon seul pirate, eau de l'an neuf ma seule soif
amour mon seul sampang
nous coulerons nos doigts de rire et de gourde
entre les dents glacées de la Belle-au-bois-dormant.

INVOCATION

Je vous salue, ruines solitaires, tombeaux saints, murs silencieux ! c'est vous que j'invoque ; c'est à vous que j'adresse ma prière. Oui ! tandis que votre aspect repousse d'un secret effroi les regards du vulgaire, mon cœur trouve à vous contempler le charme des sentiments profonds et des hautes pensées. Combien d'utiles leçons, de réflexions touchantes ou fortes n'offrez-vous pas à l'esprit qui sait vous consulter ! C'est vous qui, lorsque la terre entière asservie se taisait devant les tyrans, proclamiez déjà les vérités qu'ils détestent, et qui, confondant la dépouille des rois avec celle du dernier esclave, attestiez le saint dogme de l'Egalité. C'est dans votre enceinte que, amant solitaire de la Liberté, j'ai vu m'apparaître son génie, non tel que se le peint un vulgaire insensé, armé de torches et de poignards, mais sous l'aspect auguste de la Justice, tenant en ses mains les balances sacrées où se pèsent les actions des mortels aux portes de l'éternité.

Mon pays d'argile, pays de moissons,
Mon pays forgé d'aventure et de brisures,
Traversé du sang des éclairs,
Voici jaillir du roc ancestral
Le miel nouveau, la saison limpide,
Le tumulte irrévocable des juments indomptées.
Mon pays de cerise et de légende,
Rouge d'impatience, blanc de courroux,
L'heure est venue de passer entre les flammes
Et de grandir à tout jamais
Ensemble sur nos collines réveillées.
Mon pays d'argile, ma liberté renaissante,
Ma liberté refluante, mon pays infroissable,
Mon pays ineffacé, ineffaçable,
Ivre du bond sans retour et farouche
De ta liberté nue.

Ile !
Ile aux syllabes de flamme,
Jamais ton nom
ne fut plus cher à mon âme !
Ile,
ne fut plus doux à mon cœur !
Ile aux syllabes de flamme,
Madagascar !

Quelle résonance !
Les mots
fondent dans ma bouche :
Le miel des claires saisons
dans le mystère de tes sylves,
Madagascar !

Je mords la chair vierge et rouge
avec l'âpre ferveur
du mourant aux dents de lumière,
Madagascar !

Un viatique d'innocence
dans mes entrailles d'affamé,
je m'allongerai sur ton sein avec la fougue
du plus ardent de tes amants,
du plus fidèle,
Madagascar !

Qu'importent le hululement des chouettes,
le vol rasant et bas
des hiboux apeurés sous le faîtage
de la maison incendiée ! oh, les renards,
qu'ils lèchent
leur peau puante du sang des poussins,
du sang auréolé des flamants roses !
Nous autres, les hallucinés de l'azur,
nous scrutons éperdument tout l'infini de bleu de la nue,
Madagascar !

La tête tournée à l'aube levante,
un pied sur le nombril du ponant,
et le thyrse
planté dans le cœur nu du Sud,
Je danserai, ô Bien-Aimée,
je danserai la danse-éclair
des chasseurs de reptiles,
Madagascar !

Je lancerai mon rire mythique
sur la face blême du Midi !
Je lancerai sur la figure des étoiles
la limpidité de mon sang !
je lancerai l'éclat de ta noblesse
sur la nuque épaisse de l'Univers,
Madagascar !

Un mot,
Ile !
rien qu'un mot !
Le mot qui coupe du silence
La corde serrée à ton cou.
Le mot qui rompt les bandelettes
du cadavre transfiguré !
Dans le ventre de la mère
l'embryon sautillera.
Dans les entrailles des pierres
danseront les trépassés.
Et l'homme et la femme,
et les morts et les vivants,
et la bête et la plante,
tous se retrouvent haletants,
dans le bosquet de la magie,
là-bas, au centre de la joie,
Un mot,
Ile
Rien qu'un mot !

Le mot de l'âge d'or.
Le mot sur le déluge.
Le mot qui fait tourner
le globe sur lui-même !
La fureur des combats !
Le cri de la victoire !
L'étendard de la paix !

Un mot, Ile
et tu frémis !
Un mot, Ile,
et tu bondis
Cavalière océane !

Le mot de nos désirs !
Le mot de notre chaîne !
Le mot de notre deuil !
Il brille
dans les larmes des veuves,
dans les larmes des mères
et des fiers orphelins.
Il germe
avec la fleur des tombes,
avec les insoumis
et l'orgueil des captifs.

Ile de mes Ancêtres,
ce mot, c'est mon salut.
Ce mot, c'est mon message.
Le mot claquant au vent
sur l'extrême éminence !
Un mot.
Du milieu du zénith
un papangue ivre fonce,
siffle
aux oreilles des quatre espaces :
Liberté ! Liberté ! Liberté ! Liberté !

LE TYROL ET LA LIBERTÉ

Salut, terre de glace, amante des nuages,
Terre d'hommes errants et de daims en voyages,
Terre sans oliviers, sans vigne et sans moissons.
Ils sucent un lait dur, mère, tes nourrissons...
Tu n'as rien, toi, Tyrol, ni temple ni richesse,
Ni poètes ni dieux ; tu n'as rien, chasseresse !
Mais l'amour de ton cœur s'appelle d'un beau nom,
La Liberté ! — Qu'importe au fils de la montagne
Pour quel despote obscur, envoyé d'Allemagne,
L'homme de la prairie écorche le sillon ?
Ce n'est pas son métier de traîner la charrue ;
Il couche sur la neige, il soupe quand il tue ;
Il vit dans l'air du ciel, qui n'appartient qu'à Dieu.
L'air du ciel ! l'air de tous ! vierge comme le feu !
Oui, la liberté meurt sur le fumier des villes.
Oui, vous qui la plantez sur vos guerres civiles,
Vous la semez en vain, même sur vos tombeaux :
Il ne croît pas si bas, cet arbre aux verts rameaux.
Il meurt dans l'air humain, plein de râles immondes ;
Il respire celui que respirent les mondes.
Montez, voilà l'échelle, et Dieu qui tend les bras ;
Montez à lui, rêveurs, il ne descendra pas.
Prenez-moi la sandale et la pique ferrée :
Elle est là sur les monts, la liberté sacrée.
C'est là qu'à chaque pas l'homme la voit venir,
Ou, s'il l'a dans le cœur, qu'il l'y sent tressaillir.

L'ART ET LE PEUPLE

I

L'art, c'est la gloire et la joie ;
Dans la tempête il flamboie,
Il éclaire le ciel bleu.
L'art, splendeur universelle,
Au front du peuple étincelle,
Comme l'astre au front de Dieu.

L'art est un chant magnifique
Qui plaît au cœur pacifique,
Que la cité dit aux bois,
Que l'homme dit à la femme,
Que toutes les voix de l'âme
Chantent en chœur à la fois !

L'art, c'est la pensée humaine
Qui va brisant toute chaîne !
L'art, c'est le doux conquérant !
A lui le Rhin et le Tibre !
Peuple esclave, il te fait libre ;
Peuple libre, il te fait grand !

II

O bonne France invincible,
Chante ta chanson paisible !
Chante, et regarde le ciel !
Ta voix joyeuse et profonde
Est l'espérance du monde,
O grand peuple fraternel !

Bon peuple, chante à l'aurore !
Quand le soir vient, chante encore !
Le travail fait la gaieté.
Ris du vieux siècle qui passe !
Chante l'amour à voix basse,
Et tout haut, la liberté !

Chante la sainte Italie
La Pologne ensevelie
Naples qu'un sang pur rougit,
La Hongrie agonisante...
O Tyrans le peuple chante
Comme le lion rugit !

Marcel BÉALU

POÈME À DIRE

La liberté ne s'écrit pas sur la forme changeante des nuages
La liberté n'est pas une sirène cachée au fond des eaux
La liberté ne vole pas au gré des vents
Comme la lunule du pissenlit
La liberté en robe de ciel ne va pas dîner chez les rats
Elle n'allume pas ses bougies de Noël
Aux lampions du 14 juillet

La liberté je lui connais un nom plus court
Ma liberté s'appelle Amour
Elle a la forme d'un visage
Elle a le visage du bonheur.

Elle pela le ciel comme une pomme
encore verte. Elle voulut une aube
qui fût blonde comme elle — car chez nous
l'aube est noire à jamais puisqu'elle est l'âme
du tigre —. Elle égorgea les fiancés
de notre lune et choisit pour amant
un épervier qui déchirait nos îles.
Notre équateur gémit. Notre montagne
pleura comme une bête fouettée.
Nous souhaitions sa mort, mais lorsqu'un jour
une comète l'emporta, le peuple
en fit, le même soir, une déesse
car au lieu de souffrir — ce qui est simple —
il souffrait d'être libre et de penser.

LA LIBERTÉ

Elle est venue par cette ligne blanche pouvant tout aussi bien signifier l'issue de l'aube que le bougeoir du crépuscule.

Elle passa les grèves machinales ; elle passa les cimes éventrées.

Prenaient fin la renonciation à visage de lâche, la sainteté du mensonge, l'alcool du bourreau.

Son verbe ne fut pas un aveugle bélier mais la toile où s'inscrivit mon souffle.

D'un pas à ne se mal guider que derrière l'absence, elle est venue, cygne sur la blessure, par cette ligne blanche.

LIBERTÉ

Cheval, cheval fou
Ma monture, ma flamme
Comme tu m'emportes
Comme je t'ai gouvernée !

Pour mon enfant à grandir
Pour un amour à gravir,
Te meurtrissant aux ronces du refus,
Je blanchissais ta fièvre

Tu embrasais ma paix !

PAROLES DE MA LIBERTÉ
Pour A.R. PERON

Paroles de la liberté
Qui volent ici et là de toutes parts
Paroles boucliers
Légères à la main qui porte la vie
Lourdes aux tricheurs lourdes aux bourreaux

Paroles de chair voici ma maison
J'ai faim j'ai soif foi d'une force
Je donne raison au soleil
Le désir des femmes est mon bien

Il fait beau dans la rue vivante
Il fait beau dans le lit qui chante
Il fait clair dans les yeux amis

Plus haute que mort et misère
Plus juste que plaintes et cris
C'est votre rose violente
Paroles de ma liberté
Qui met la vie à sa raison
C'est votre voix sœur de la foudre
Elle éclate et creuse en passant
Dans le mur noir de l'avenir
La bouche rouge d'une étoile.

Michel DEGUY

LIBERTÉ

Mais torsion de la vie, liberté, identique à floraison exubérance venin, liberté négroïde, convulsion des hommes jeunes inventeurs en plus rapide de fleurs et de nuages incessants, liberté feu, la flamme qui jette en avant dans d'imprévisibles courts-circuits de déterminisme, et qui te laisse juste en deçà du seuil d'un destin.

S'il faut rendre compte
Des beautés du monde,

On n'oubliera pas
Les moulins à vent

Que le vent détraque
Et qui nous oublient

Pour le vent, l'aurore et la liberté.

GESTE

La liberté les arbres,
l'amour le feu fragile.

Il y a ce grand dessin plein de branches et de feu et plein de
pays jeunes
(l'Amérique aujourd'hui serait la table tranquille et les
arbres dans la fenêtre.)

La liberté l'amour,
les arbres le feu fragile.

Le 8 novembre 1971 :

Bloqué par quoi bloqué par rien
paroles vite qui se profèrent au bord des lèvres et des nerfs
pour répondre de A à Z et de hasard
à moi à lui à tout élan qui se dessèche
tout ce qui s'écrit est dans ma tête
tout ce qui a été écrit est dans ma tête — les mots
comme placés déjà sous une grille qui choisit
comme une absence qui signe une présence qui s'ignore
comme grains de sable dans une plage
or cette côte m'appartient ainsi que cette mer énorme qu'elle
    contient
et ce que l'une dépose sur l'autre appartient aussi à mon droit
tout ce qui est dehors tout ce qui a été dit
est à moi
tout ce qui fut (est) articulé j'aurais pu (peux) le proposer
voilà un théorème
le point où doit se fixer le regard pour tirer
pour marcher pour avancer dans le travail
pour résister à ce silence vice vide qui nous ronge
et celui-là ah je le nie
tous les mots sont possibles
tous les mots attendent en moi quelque part
tous les mots sont possibles à dire
l'effroi les phrases
donc il faut qu'ils sortent et que le stylo gratte
les jeux de mots le jeu des mots
est la poésie
leur liberté = la liberté qui agrandit
la liberté rouge la liberté bleue
la liberté-fusée qui un instant éclaire
l'étroit cercle blafard où les hommes se terrent.

Bloqué par quoi

LES AVIDITÉS CLANDESTINES

L'algue longue mouvante et souple
Au fil de l'eau
L'âme molle fuyante et docile au courant
Fidèle au succès qui ondule
De l'un à l'autre bord des ligues des partis
L'aiguille vers le Nord
Vers la foule
Dans la poussée qui s'oriente sur la nuit
Printemps des mots luisants à la pointe des plumes
Lèvres sèches pendues en grappes à tous les noms
Quand la sève reflue au cœur dans la détresse
Il suit le cours
Il suit le temps
Il marche à vide
Il pousse le succès aux ailes transparentes
Il reprend la trace au tournant
Quand le soleil est le plus bas l'ombre est plus grande
Cette ombre détachée du poids de sa valeur
Qui n'a plus ta forme
Ton nom
Ta réponse
La taille à plat qui rampe
Et court le long des angles sans lueurs
Longues soirées
Sourdes misères
Lentes chansons démesurées
Le souffle est court
La lampe amère
L'athlète halète tout le jour

120

Pierre REVERDY

Il ne pense qu'à la recette
A ceux qui le suivent le long des grilles de l'enfer
Où l'on est libéré de la soif
Libre de penser le contraire
Libre d'aller sans revenir
Libre de parler sans rien dire
Et libre d'aimer sans choisir
Je veux dire la piste d'envol du mensonge
D'où s'élance l'aiguille ardente plus habile
A reprendre le fil qui tisse la lumière
Epaules sans ampleur
Poitrine ravagée
Algue longue dressée au courant de la gloire
Ame plate luisante aux flammes du succès

Résistance
et
révolte

Que peut un mur
Pour un blessé

Et pourtant
Il en vient toujours dans les batailles
S'y adosser

Comme si la mort ainsi
Permettait de mourir

Avec plus de loisir
Et quelque liberté.

Eugène GUILLEVIC

MAI 1968

I

On ferme !
Cri du cœur des gardiens du musée homme usé
Cri du cœur à greffer
à rafistoler
Cri d'un cœur exténué
On ferme !
On ferme la Cinémathèque et la Sorbonne avec
On ferme !
On verrouille l'espoir
On cloître les idées
On ferme !
O.R.T.F. bouclée
Vérités séquestrées
Jeunesse bâillonnée
On ferme !
Et si la jeunesse ouvre la bouche
par la force des choses
par les forces de l'ordre
on la lui fait fermer
On ferme !
Mais la jeunesse à terre
matraquée piétinée
gazée et aveuglée
se relève pour forcer les grandes portes ouvertes
les portes d'un passé mensonger
périmé
On ouvre !

On ouvre sur la vie
la solidarité
et sur la liberté de la lucidité.

II

Des gens s'indignent que l'Odéon soit occupé alors qu'ils
trouvent encore tout naturel qu'un acteur occupe, tout seul, la
Tragi-Comédie-Française depuis de longues années afin de
jouer, en matinée, nuit et soirée, et à bureaux fermés, le rôle de
sa vie, l'Homme providentiel, héros d'un très vieux drame du
répertoire universel : l'Histoire ancienne.

LA CHIENLIT
C'EST LUI !

CE CŒUR QUI HAÏSSAIT LA GUERRE...

Ce cœur qui haïssait la guerre voilà qu'il bat pour le combat et la bataille !

Ce cœur qui ne battait qu'au rythme des marées, à celui des saisons, à celui des heures du jour et de la nuit,

Voilà qu'il se gonfle et qu'il envoie dans les veines un sang brûlant de salpêtre et de haine

Et qu'il mène un tel bruit dans la cervelle que les oreilles en sifflent

Et qu'il n'est pas possible que ce bruit ne se répande pas dans la ville et la campagne

Comme le son d'une cloche appelant à l'émeute et au combat.

Ecoutez, je l'entends qui me revient renvoyé par les échos.

Mais non, c'est le bruit d'autres cœurs, de millions d'autres cœurs battant comme le mien à travers la France.

Ils battent au même rythme pour la même besogne tous ces cœurs,

Leur bruit est celui de la mer à l'assaut des falaises

Et tout ce sang porte dans des millions de cervelles un même mot d'ordre :

Révolte contre Hitler et mort à ses partisans !

Pourtant ce cœur haïssait la guerre et battait au rythme des saisons,

Mais un seul mot : Liberté a suffi à réveiller les vieilles colères

Et des millions de Français se préparent dans l'ombre à la besogne que l'aube proche leur imposera.

Car ces cœurs qui haïssaient la guerre battaient pour la liberté au rythme même des saisons et des marées, du jour et de la nuit.

LETTRE

Lettre adressée à Mme Lucienne Balasse de Guide.

Mon amie,

Je vous ai élue entre toutes, pour recueillir mes dernières volontés. Je sais en effet que vous m'aimez assez pour les faire respecter de tous. On vous dira que je suis morte inutilement, bêtement, en exaltée. Ce sera la vérité... historique. Il y en aura une autre. J'ai péri pour attester que l'on peut à la fois aimer follement la vie et consentir à une mort nécessaire.

A vous incombera la tâche d'adoucir la douleur de ma mère. Dites-lui que je suis tombée pour que le ciel de Belgique soit plus pur, pour que ceux qui me suivent puissent vivre libres comme je l'ai tant voulu moi-même ; que je ne regrette rien malgré tout. A l'heure où je vous écris, j'attends calmement les ordres qui me seront donnés. Que seront-ils ? Je ne le sais pas et c'est pourquoi je vous écris l'adieu que ma mort doit vous livrer. C'est à des êtres tels que vous qu'elle est tout entière dédiée, à des êtres qui pourront renaître et réédifier. Et je songe à vos enfants qui seront libres demain. Adieu.

Le 13 novembre 1941.

LA COMPLAINTE DU PARTISAN

Les Allemands étaient chez moi
On m'a dit : « Résigne-toi »
Mais je n'ai pas pu
Et j'ai repris mon arme

Personne ne m'a demandé
D'où je viens et où je vais
Vous qui le savez
Effacez mon passage

J'ai changé cent fois de nom
J'ai perdu femme et enfants
Mais j'ai tant d'amis
Et j'ai la France entière.

Un vieil homme dans un grenier
Pour un jour nous a cachés
Les Allemands l'ont pris
Il est mort sans surprise

Hier encore nous étions trois
Il ne reste plus que moi
Et je tourne en rond
Dans les prisons des frontières

Le vent souffle sur les tombes
La liberté reviendra
On nous oubliera
Nous rentrerons dans l'ombre.

LE CHANT DES PARTISANS
(MUSIQUE D'ANNA MARHR)

Ami entends-tu,
Le vol noir des corbeaux sur nos plaines,
Ami entends-tu,
Ces cris sourds du Pays qu'on enchaîne,
Ohé partisans,
Ouvriers et paysans, c'est l'alarme
Ce soir l'ennemi
Connaîtra le prix du sang et des larmes

Montez de la mine ;
Descendez des collines,
    Camarades,
Sortez de la paille
Les fusils, la mitraille,
    Les grenades,
    Ohé les tueurs,
A la balle et au couteau,
    Tuez vite,
    Ohé saboteurs
Attention à ton fardeau
    Dynamite...

C'est nous qui brisons
Les barreaux des prisons,
    Pour nos frères,
La haine à nos trousses
Et la faim qui nous pousse
    La misère.
    Il y a des pays
Où les gens au creux des lits,
    Font des rêves.
    Ici, nous vois-tu,
Nous on marche et nous on tue...
    Nous on crève...

Ici, chacun sait
Ce qu'il veut, ce qu'il fait
    Quand il passe,
Ami, si tu tombes,
Un ami sort de l'ombre
    A ta place,
Demain du sang noir
Séchera au grand soleil
    Sur les routes
Chantez compagnons,
Dans la nuit la liberté
    Nous écoute...

    Ami entends-tu,
Les cris sourds du Pays qu'on enchaîne !...
    Ami entends-tu,
Le vol noir des corbeaux sur nos plaines !...
Oh oh oh oh oh oh oh oh oh oh oh oh oh oh...

BALLADE DE CELUI
QUI CHANTA DANS LES SUPPLICES

à Gabriel Péri.

Et s'il était à refaire
Je referais ce chemin
Une voix monte des fers
Et parle des lendemains

On dit que dans sa cellule
Deux hommes cette nuit-là
Lui murmuraient Capitule
De cette vie es-tu las

Tu peux vivre tu peux vivre
Tu peux vivre comme nous
Dis le mot qui te délivre
Et tu peux vivre à genoux

Et s'il était à refaire
Je referais ce chemin
La voix qui monte des fers
Parle pour les lendemains

Rien qu'un mot la porte cède
S'ouvre et tu sors Rien qu'un mot
Le bourreau se dépossède
Sésame Finis tes maux

Rien qu'un mot rien qu'un mensonge
Pour transformer ton destin
Songe songe songe songe
A la douceur des matins

Et si c'était à refaire
Je referais ce chemin
La voix qui monte des fers
Parle aux hommes de demain

J'ai dit tout ce qu'on peut dire
L'exemple du Roi Henri
Un cheval pour mon empire
Une messe pour Paris

Rien à faire Alors qu'ils partent
Sur lui retombe son sang
C'était son unique carte
Périsse cet innocent

Et si c'était à refaire
Referait-il ce chemin
La voix qui monte des fers
Dit Je le ferai demain

Je meurs et France demeure
Mon amour et mon refus
O mes amis si je meurs
Vous saurez pourquoi ce fut

Ils sont venus pour le prendre
Ils parlent en allemand
L'un traduit Veux-tu te rendre
Il répète calmement

Il chantait lui sous les balles
Des mots *sanglant est levé*
D'une seconde rafale
Il a fallu l'achever

Et si c'était à refaire
Je referais ce chemin
Sous vos coups chargé de fers
Que chantent les lendemains

Une autre chanson française
A ses lèvres est montée
Finissant la Marseillaise
Pour toute l'humanité

CHANT III
(extrait)

Hommes de la révolution, il n'est plus pour vous ni d'amour
qui feigne de croire au monde
ni de fleuves pour noyer les images inusables du bonheur
quand le poids de la vie s'abat tout à coup sur vos corps
mais seulement une pierre brûlante au bas du ventre et des
armes levées contre les poitrines
des souffles torrides pour détruire la vieille substance de
l'homme
quand la guerre défonce le poitrail roux du ciel
quand les caterpillars tombent au milieu du dernier été en
fleurs
et que plus rien ne peut être sauvé de l'existence
ni vos certitudes, ni votre courage, ni les traces de votre travail
sinon au gré des vents quelques grands oiseaux impérissables
depuis longtemps ballottés sur les routes d'autres tempêtes
peut-être quelques machines qui survivent aux destructions
alors vous serez seuls avec votre chair contre les hommes
contre les hautes fenêtres des fabriques qui ne connaissent plus
le sommeil
contre la complicité tranquille du béton — lourd compagnon
plébéien
arc-bouté aux outres d'innocence de l'avenir
alors vous serez seuls contre les hommes et contre l'éternité
pour remettre debout parmi de très vieilles lois qui s'obstinent
à déjouer le génie de l'homme
ce monde ouvert aux quatre vents des épidémies...

AYGUESPARSE

Durs émeutiers, il n'est plus que vous pour croire
aux sourdes puissances de la liberté
à l'âcre odeur de cette étape poudreuse
plus que vous pour croire à la guérison des hommes
à d'autres jours, à d'autres amitiés
à d'autres départs avec les cris des oiseaux
à d'autres foules s'arrachant aux maisons profondes
pour entendre, mêlées à la lave de la misère
mêlées à la naissance de nouveaux labeurs
grandir au fond de la vie les forces énormes de la révolte.
Rien n'effacera vos pas dans la cire molle des légendes.
Comme la bête quaternaire nous restitue au-delà des désastres
sa foulée surprise dans les alluvions des époques mortes
votre lourde joie coulera dans les sentiers de notre mémoire
le sens et la profondeur de votre marche nous seront remis
et ce sera notre tour après mille ans de sommeil.

Les mains enfouies dans les crinières rougeoyantes du soir
devançant votre temps à travers les pays jaunissants
au plus tragique de la vie vous marchez vers les villes
à l'heure où les champs sont plus tièdes que tout le lait des
ventres.
Avec ceux qui connaissent les défaites de la faim
ceux qui ont brisé les bâtons du malheur
ceux qui portent des prophéties au fond des yeux
vous marchez — écume et mer sans mesure —
à travers la poussière des villages et le bruit des siècles
dévalant au plus court vers la jeunesse des hommes.
Alors vous étonnerez les montagnes, les fleuves, les étoiles
et les vieux bâtisseurs qui sentent la vie s'écouler par les
trous de leurs mains
trembleront de ne plus reconnaître leur propre cœur

Nous n'y serons plus, nous n'y serons plus, mais ce sera plus
beau.

Jean MALRIEU

LEVÉE EN MASSE

Ne serait-ce qu'une fois, si tu parlas de liberté,
Tes lèvres, pour l'avoir connue, en ont gardé le goût du sel,
Je t'en prie,
Par tous les mots qui ont approché l'espoir et qui tressaillent,
Sois celui qui marche sur la mer.
Donne-nous l'orage de demain.

Les hommes meurent sans connaître la joie.
Les pierres au gré des routes attendent la lévitation.

Si le bonheur n'est pas au monde nous partirons à sa
    rencontre.
Nous avons pour l'apprivoiser les merveilleux manteaux de
    l'incendie.

Si ta vie s'endort
Risque-la.

ALLIANCE

Nous regardant franchir
la blancheur des mouettes,
crouler avec l'espace
que délivrent leurs ailes.

Nous tenons liberté
de ce pur abîme.

N'apaise pas,
fomente.

LES VAGUES DE LA MER

A Max-Pol Fouchet qui parlait à la Radio d'Alger.

Le tumulte du vent les vagues de la mer
l'appel intermittent des sirènes du feu
le grand vent et le froid les neiges de l'hiver
tout me ramène à vous compagnons du grand jeu

Les bottes de Poucet oublieuses des guerres
tricotent leur chemin malgré les conquérants
L'amour et l'amitié ont d'autres planisphères
que les plaines de sang où crient les loups errants

Je vous entends la nuit je vous attends le jour
mes amis qui parlez dans vos prisons de vent
je tends vers vous mes mains mes doigts tremblants et gourds
mes mains que trop de morts disputent aux vivants

Les cités englouties mènent au fond des eaux
une lente et pesante et ténébreuse vie
J'entends sonner pourtant dans la plainte des flots
les cloches de Fingal encore inasservies

Les lames sans répit déferleront sur nous
qu'importe à celui-là dont le cœur est fidèle
Laissons glisser les eaux laissons hurler les loups
Liberté dans la nuit les cloches parlent d'Elle.

LA BRIGADE INTERNATIONALE

A Jean Bastien

Mon cœur
veine ou déveine
aura des ailes
dans les montagnes et dans la plaine
des hommes meurent pour la liberté

L'oiseau parle une langue inconnue
il n'a jamais pensé à la chance
mais la chance est pour lui
dans les chansons mêmes de la peur
la vie n'est qu'un signe

pour ceux qui meurent dans la nuit
trahis par la clarté lunaire
par les regards obstinés du soleil

Il y a parfois un homme qui vient d'Albanie
il parle de la liberté comme d'un sein de marbre
il y a des hommes qui viennent des villages perdus
ils parlent de la liberté comme d'une source pure
il y a d'autres hommes qui viennent des montagnes
ils en parlent par signes et par silences durs
il y a les hommes aussi qui viennent de n'importe où
aux comparaisons obscures et justes
il y a les hommes simples les hommes qui boivent
et les hommes qui ne boivent jamais
qui confondent la liberté la mort l'amour le souvenir de leur
     maman
l'histoire de leur vie de leur patrie
de leurs amours
en mots très simples et en gestes de neige

Jean-Pierre VEYRAT

... Et La Liberté ? — Morte !... Ils ont su la broyer.
La gloire ? — Elle n'est plus qu'un monument guerrier,
Un géant dont le front sauta dans la tempête,
Mais dont ils n'ont pas pu ressusciter la tête.
Un geôlier règne ici ! — Tous ces ardents tisons
Qui réchauffaient nos cœurs, jaillissent des prisons ;
Au poids d'un or sali la vérité s'achète ;
Le pouvoir toujours rôde, autour d'elle, en cachette,
Puis, quand il la surprend vieillie ou faible encor,
Il essaye à sa bouche un puissant bâillon d'or ;
Et, si d'un bras de fer sur son infâme joue,
Elle amène un soufflet qui l'étende en la boue,
Alors le séducteur, le visage encor chaud,
La fait saisir de force et la pousse au cachot !
Misère ! trahison ! étrange ignominie !
Tout s'écroule, tout meurt, hormis la tyrannie !...

Apaisement

VIVRE ET MOURIR

Maître de tout sauf de moi-même,
Chaque jour je recule un peu
Sur les falaises de ma vie.

Dans mes jeux d'autrefois, théâtre,
J'avais ce même regard ivre,
Ce même cœur désassemblé.

Mais alors on fuyait, nous deux,
Le monde était un mur poreux
Et nous savions les mots complices !

O mon enfance, n'oublie rien :
Les clés encor sont dans ta main,
L'amour attend, il nous faut vivre !

Ferme tes plaies, ouvre tes yeux,
Ajoute la mort à ton jeu :
Je suis un autre, je suis libre !

J'ai tout aimé moins que moi-même
Je veux vivre pour tout aimer
Et m'oublier dans ce que j'aime.

Jean ROUSSELOT

LIBERTÉ

Le vent impur des étables
Vient d'Ouest, d'Est, du Sud, du Nord.
On ne s'assied plus aux tables
Des heureux, puisqu'on est mort.

Les princesses aux beaux râbles
Offrent leurs plus doux trésors,
Mais on s'en va dans les sables,
Oublié, méprisé, fort.

On peut regarder la lune
Tranquille dans le ciel noir.
Et quelle morale ?... aucune.

Je me console à vous voir,
A vous étreindre ce soir,
Amie éclatante et brune.

LES FUSILLÉS DE CHATEAUBRIANT

Ils sont appuyés contre le ciel
Ils sont une trentaine appuyés contre le ciel
Avec toute la vie derrière eux
Ils sont pleins d'étonnement pour leur épaule
Qui est un monument d'amour
Ils n'ont pas de recommandations à se faire
Parce qu'ils ne se quitteront jamais plus
L'un d'eux pense à un petit village
Où il allait à l'école
Un autre est assis à sa table
Et ses amis tiennent ses mains
Ils ne sont déjà plus du pays dont ils rêvent
Ils sont bien au-dessus de ces hommes
Qui les regardent mourir
Il y a entre eux la différence du martyre
Parce que le vent est passé là ils chantent
Et leur seul regret est que ceux
Qui vont les tuer n'entendent pas
Le bruit énorme des paroles
Ils sont exacts au rendez-vous
Ils sont même en avance sur les autres
Pourtant ils disent qu'ils ne sont pas des apôtres
Et que tout est simple
Et que la mort surtout est une chose simple
Puisque toute liberté se survit.

BALLADE

En regardant vers le païs de France,
Ung jour m'avint, à Dovre sur la mer,
Qu'il me souvint de la doulce plaisance
Que souloye au dit païs trouver.
Si commençay de cueur à souspirer,
Combien certes que grant bien me faisoit
De veoir France, que mon cueur amer doit.

Je m'avisay que c'estoit non sçavance
De telz souspirs dedens mon cueur garder,
Veu que je voy que la voye commence
De bonne paix, qui tous biens peut donner.
Pour ce, tournay en confort mon penser :
Mais non pourtant mon cueur ne se lassoit
De veoir France, que mon cueur amer doit.

Alors, chargeay en la nef d'Espérance
Tous mes souhaitz en les priant d'aler
Oultre la mer, sans faire demourance,
Et à France de me recommander.
Or nous doint Dieu bonne paix sans tarder !
Adonc auray loisir, mais qu'ainsi soit,
De veoir France, que mon cueur amer doit.

Paix est trésor qu'on ne peut trop louer,
Je hé guerre, point ne la doy priser ;
Destourbé m'a longtemps, soit tort ou droit,
De veoir France, que mon cueur amer doit.

(...)

Mais s'il est un état où l'âme trouve une assiette assez solide pour s'y reposer tout entière et rassembler là tout son être, sans avoir besoin de rappeler le passé ni enjamber sur l'avenir, où le temps ne soit rien pour elle, où le présent dure toujours sans néanmoins marquer sa durée et sans aucune trace de succession, sans aucun autre sentiment de privation ni de jouissance, de plaisir ni de peine, de désir ni de crainte que celui seul de notre existence, et que ce sentiment seul puisse la remplir tout entière ; tant que cet état dure, celui qui s'y trouve peut s'appeler heureux, non d'un bonheur imparfait, pauvre et relatif, tel que celui qu'on trouve dans les plaisirs de la vie, mais d'un bonheur suffisant, parfait et plein, qui ne laisse dans l'âme aucun vide qu'elle sente le besoin de remplir. (...)

De quoi jouit-on dans une pareille situation ? De rien d'extérieur à soi, de rien sinon de soi-même et de sa propre existence, tant que cet état dure on se suffit à soi-même comme Dieu. Le sentiment de l'existence dépouillé de toute autre affection est par lui-même un sentiment précieux de contentement et de paix, qui suffirait seul pour rendre cette existence chère et douce à qui saurait écarter de soi toutes les impressions sensuelles et terrestres qui viennent sans cesse nous en distraire et en troubler ici-bas la douceur. Mais la plupart des hommes agités de passions continuelles connaissent peu cet état, et ne l'ayant goûté qu'imparfaitement durant peu d'instants n'en conservent qu'une idée obscure et confuse qui ne leur en fait pas sentir le charme. Il ne serait pas même bon, dans la présente constitution des choses, qu'avides de ces douces extases ils s'y dégoûtassent de la vie active dont leurs besoins toujours renaissants leur prescrivent le devoir. Mais un infortuné qu'on a retranché de la société humaine, et qui ne peut plus rien faire ici-bas d'utile et de bon pour autrui ni pour soi, peut trouver dans cet état à toutes les félicités humaines des dédommagements que la fortune et les hommes ne lui sauraient ôter. (...)

Paul VERLAINE

Le ciel est, par-dessus le toit,
    Si bleu, si calme !
Un arbre, par-dessus le toit,
    Berce sa palme.

La cloche, dans le ciel qu'on voit,
    Doucement tinte,
Un oiseau sur l'arbre qu'on voit,
    Chante sa plainte.

Mon Dieu, mon Dieu, la vie est là
    Simple et tranquille.
Cette paisible rumeur-là
    Vient de la ville.

Qu'as-tu fait, ô toi que voilà
    Pleurant sans cesse,
Dis, qu'as-tu fait, toi que voilà,
    De ta jeunesse ?

Veu le soing mesnager, dont travaillé je suis,
Veu l'importun souci, qui sans fin me tormente,
Et veu tant de regrets, desquels je me lamente,
Tu t'esbahis souvent comment chanter je puis.

Je ne chante (Magny) je pleure mes ennuys :
Ou, pour le dire mieulx, en pleurant je les chante,
Si bien qu'en les chantant, souvent je les enchante :
Voyla pourquoy (Magny) je chante jours et nuicts.

Ainsi chante l'ouvrier en faisant son ouvrage,
Ainsi le laboureur faisant son labourage,
Ainsi le pèlerin regrettant sa maison,

Ainsi l'advanturier en songeant à sa dame,
Ainsi le marinier en tirant à la rame,
Ainsi le prisonnier maudissant sa prison.

LA LIBERTÉ OU LE BOURREAU ?

Ils sont revenus, les morts, tous les morts de la vie,
Ils sont revenus, je les ai vus, en grande colonne.
A travers le printemps, traînant leur bagage,
Et devant eux marchait le bourreau,
Grand, large et gros, avec tant de chair autour de ses os,
Comme un sac de farine, comme un sac plein d'abats,
Avec son odeur de bourreau qui sent le suint et l'eau
    de Cologne,
Et qui semble son propre bagage,
Et qui pourtant portait son bagage,
Ils allaient à travers les jardins, et chantait un oiseau,
A travers les chemins, et passaient les corbeaux,
A travers les villages, une cloche sonnait,
Et le bourreau portait son bagage,
Une potence en chêne, une grande potence,
Il chantait tout bas, se donnait du courage,
L'air est pur, la route est large,
Ou encore : Y a d'la goutte à boire là-haut !
Ils sont revenus les morts, ils se sont arrêtés chez le bistrot,
On jouait au zanzi, à la belote, aux dominos,
Le bourreau disait : Dominus vobiscum.
Le bistrot disait : Encore une tournée,
Encore une tournée, disait le bourreau,
Encore une tournée, disaient les morts,
Une tournée, la dernière tournée,
La der, la der des der, disaient les morts.
Ils avaient leur bagage au milieu du village,
Ils ont déposé leur bagage,

Et tous étaient là, le vin au coin des lèvres,
Le vin au coin des yeux,
Le vin, les dés, les cartes dans le ventre,
La lâcheté, la misère, le contentement,
Et ronfler ce soir, la bouche ouverte, les pieds gras,
Ils étaient là et demandaient aux morts :
Ah ! vous voilà ? — Oui, disaient les morts.
Et qu'est-ce qu'il y a dans votre bagage ?
Un oiseau, dit un mort.
Une fleur, dit un mort.
Une musique, dit un mort.
Mais comme il est lourd, votre bagage ?
Et riait le bourreau qui portait une grande potence,
Légère, si légère,
Comme un oiseau,
Comme une fleur,
Comme une musique.
Et le bistrot disait :
Une tournée, encore une tournée, j'offre une tournée,
Une tournée aux morts et à tous les morts,
S'ils ouvrent leur bagage.
Alors des rangs est sorti un mort,
Ses os cassés étaient raccommodés avec une ficelle,
Sa tête brûlée n'avait plus de cervelle.
Il ouvrit la malle, une vieille malle d'autrefois.
Elle avait fait tant de voyages,
En Russie, en Bohême, en Pologne, en Grèce,
Un vieux bagage,

Plein de poussière, de sang, de boue, de crasse,
Et ils riaient doucement, les morts,
Et le bourreau demandait à boire,
Et le bistrot souleva le couvercle,
Elle était belle, elle était nue,
Elle était jeune, elle était pure,
Elle était comme un oiseau,
Comme une fleur nue,
Comme une musique légère,
C'était la Liberté.
Et les morts ont demandé :
Maintenant, frères, qu'est-ce que vous allez faire ?

Israel ex. Cum Priuil. Reg.

Pernette du GUILLET

Non que je veuille ôter la liberté
A qui est né pour être sur moi maître :
Non que je veuille abuser de fierté
Qui à lui humble et à tous devrais être ;
Non que je veuille à dextre et à senestre
Le gouverner et faire à mon plaisir :
Mais je voudrais pour nos deux cœurs repaître
Que son vouloir fût joint à mon désir.

BIOGRAPHIES DES POÈTES

*La vie d'un poète ne saurait tenir entre deux dates
ou se définir à partir d'une date. Sa poésie est le reflet
des événements et des hommes qu'il a connus. Vous
trouverez ci-dessous quelques lignes sur chacun des auteurs, mais
il eût fallu de trop nombreuses pages pour vous les présenter tous.
Aussi lirez-vous ici les textes biographiques des auteurs les moins
connus, ou dont l'œuvre est très proche du thème abordé.
Les biographies de ceux qui manquent ici figurent
dans les autres volumes de la collection.*

Emmanuel d'Astier de la Vigerie (1900-1969). — Officier de marine puis journaliste, fondateur en 1941 du mouvement de résistance Libération et du journal du même nom. Ministre, député, cet homme politique fut aussi écrivain.

Albert Ayguesparse. — Poète belge d'expression française. A publié une vingtaine de recueils. L'essentiel de son œuvre a été réuni dans des *Poèmes* publiés en 1961. Depuis, a été édité un recueil : *Les Armes de la guérison* (1973). Cette poésie tendre, dense, intime sait se faire attentive à l'actualité et lyriquement engagée.

Aimé Césaire (né en 1913 à la Martinique). — Révélé par André Breton, poète, professeur et homme politique. Sa poésie insurrectionnelle dénonce toute forme d'oppression en un chant ample, crissant d'images éblouissantes.

Paul Chaulot (1914-1970). — C'est le poète de la ville, le témoin des choses réelles, concrètes. Les choses, dès qu'on les nomme, c'est vrai, deviennent tout à coup chargées de mystère... Chaulot n'en reste pas là et sa poésie démystifie tout en éclairant.

Andrée Chedid. — D'origine égyptienne, très attachée à ses racines, sa poésie interroge la difficulté de vivre, ce qui est vital et qui dépasse la mort. La poésie pour elle est la voie royale vers l'innocence des origines. Ses recueils ont pour titre *Textes pour le vivant* (1953), *Textes pour la terre aimée* (1955), *Terre regardée* (1957), *Seul le visage* (1960), *Double pays* (1965).

Richard Cœur de Lion. — Richard Ier dit « Cœur de Lion » fut roi d'Angleterre de 1189 à sa mort en 1199. Au retour de la troisième croisade, il fut retenu prisonnier par le duc d'Autriche, Léopold. C'est pendant sa captivité qu'il écrivit l'un des rares poèmes qui nous soit parvenu et qui figure dans cette anthologie.

Philippe Desportes (1546-1606). — Un poète officiel, qui vécut à la cour des Valois couvert de gloire et d'honneurs. Ami de Ronsard et de Baïf, lecteur du cabinet du Roi, également abbé, il réussit en littérature, en politique et financièrement. Ses œuvres, *Amours de Diane*, *Amours d'Hippolyte* (1573), *Psaumes* (1603).

Robert Desnos (1900-1945). — Personnage important du surréalisme, journaliste, scénariste et producteur à la radio, il participa pendant la guerre à la Résistance et fut malheureusement arrêté en février 1944. Desnos mourut du typhus en 1945 au camp de Terezin en Tchécoslovaquie. La poésie de Desnos est chaleureuse, tendre et surtout pleine d'humour.

David Diop (1927-1961). — Ce poète sénégalais a publié un recueil, *Coups de pilon* (1957). Poésie de la révolte, de la sensualité, qui chante une terre meurtrie et frémissante.

Maurice Druon (né en 1918) et **Joseph Kessel** (1898-1979). — *Le Chant des Partisans* c'est toute la Résistance, l'occupation, les maquis, les sabotages, les risques pris par tous ceux qui croyaient que la liberté peut exister. Maurice Druon est le neveu de Joseph Kessel.

Paul Éluard (1895-1952). — Il fut l'un des quatre fondateurs du surréalisme. Soucieux de ne pas perdre le contact avec le réel et les luttes pour la liberté, il devint un poète engagé mais ne sacrifiant jamais la beauté du langage. Poète de la Résistance, il fut aussi celui de l'amour.

Alphonse Esquiros (1812-1876). — Baudelaire avait lu ce poète resté longtemps méconnu. Opposé au gouvernement de Louis-Philippe, il fut emprisonné à Sainte-Pélagie. C'est là qu'il écrivit *Les Chants d'un prisonnier*, édités, clandestinement en 1841, jamais réimprimés depuis.

Antoine Fabre d'Olivet (1768-1825). — Littérateur et « occultiste » français. Ses écrits, longtemps oubliés, sont redécouverts de nos jours car ils témoignent d'une attention curieuse pour les mots, le langage et leur pouvoir.

Léon-Paul Fargue (1876-1947). — Un Parisien, amoureux de Paris, une vie sans histoire, une œuvre assez brève. Mais une poésie parfaite, un rythme léger, une langue précise, un ton juste, une émotion toute particulière. Ses principaux recueils, *Pour la Musique* (1914), *Espaces* (1929), *D'après Paris* (1932), *Le Piéton de Paris* (1939), *Haute Solitude* (1941)...

Pernette du Guillet (1520-1545). — Une poétesse qui parlait grec, latin, italien, espagnol. A 16 ans elle rencontre Maurice Scève qui en a 35, mais sa famille la marie à Monsieur du Guillet. C'est lui qui à la mort de sa femme publie *Rythmes et Poésies de gentille et vertueuse Dame Pernette du Guillet*.

Victor Hugo (1802-1885). — Un auteur immense dont l'œuvre couvre presque un siècle de poésie. Fils d'un général de Napoléon, il serait « Chateaubriand ou rien »... Son œuvre brasse des préoccupations morales, politiques, un souci aigu de la liberté, en une inspiration littéraire jamais vue. *Les Contemplations* (1856) portent en germe tous les futurs courants poétiques de la poésie de la fin du XIXe siècle et du XXe siècle, de Baudelaire à Valéry, en passant par Verlaine et Mallarmé ! C'est aussi le fabuleux visionnaire de la ville avec l'épopée humaine des *Misérables* (1862). Il fut aussi l'homme politique qui, forcé de s'exiler en 1851 pour son opposition au régime, prit parti pour la Commune. Un grand génie du Verbe qui a exploité toutes les formes que peut prendre l'inspiration en une immense épopée littéraire.

Amadis Jamyn (1538-1592). — Ami intime de Ronsard, auteur de nombreux sonnets, il traduisit l'*Iliade* et l'*Odyssée*.

Pierre Jean Jouve (1887-1976). — Une poésie de symboles, où la psychanalyse a une place importante. Une œuvre de spiritualité dont le chef-d'œuvre est, avec *Noces* (1931), *Sueur de sang* (1933). Jouve est également critique et romancier.

Jean de La Fontaine (1621-1695). — Hésitant beaucoup sur sa vocation, il préféra finalement les salons littéraires aux Eaux-et-Forêts. Il appréciait beaucoup la compagnie de Mme de La Sablière, Mme de La Fayette, celle de Mme de Sévigné. Et pourtant cet observateur minutieux des gens de son temps en fut l'impitoyable peintre. Perspicace, libertin, et prudent quand il le fallait, sa plume n'épargna rien ni personne.

Félix Leclerc (né en 1914). — Poète et chansonnier canadien du Québec, il chante avec un optimisme robuste sa terre natale. Au Québec, il est autant considéré comme un chanteur que comme un poète. Il est l'auteur du fameux *Petit bonheur*...

Stéphane Mallarmé (1842-1898). — D'origine parnassienne, très influencé à ses débuts par Baudelaire, Mallarmé, pour vivre, fut professeur d'anglais, auteur d'une grammaire anglaise très pertinente et rédacteur de la *Dernière Mode*, revue dont il s'occupait seul pour augmenter ses ressources. Hanté par le vertige de la page blanche et par le Livre absolu, il entreprit de redonner leur sens aux mots de la tribu. C'est parce qu'il utilise les mots dans leur sens littéral, radical et non figuré que sa poésie donne cette impression d'étrangeté et de jamais vu. Une tentative unique dans la littérature.

Jean Malrieu (1915-1977). — Poète français animateur des *Cahiers du Sud* et de *Sud*. Poète au lyrisme violent et comme minéral, intensément présent au monde et au pays d'Oc ; a publié de nombreux recueils, dont *Préface à l'amour* qui obtint en 1953 le prix G. Apollinaire, ainsi que *Vesper* (1961), *Le Nom secret* (1967), *Le Château cathare* (1970), *Maisons de feuillage* (1973), etc.

Clément Marot (1496-1544). — Boileau le disait poète de l'« élégant badinage », il était aussi très aventureux, homme d'action, très impulsif. Suspect d'hérésie, enfermé au Châtelet, libéré par François Ier, poursuivi encore, il se réfugie chez Marguerite de Navarre et meurt à Turin après avoir vécu en Italie, à Paris et à Genève.

Paul Morand (1888-1975). — Ce romancier, voyageur des sleepings et des steamers fut toujours cet « homme pressé », titre d'un de ses romans, car il le comprenait bien. S'attarder lui semblait une faute de goût, une impolitesse. Diplomate, écrivain, romancier, historien, critique, toujours aux aguets. Pour lui, la vitesse était une morale.

Alfred de Musset (1810-1857). — Né à Paris, il fit de brillantes études au lycée Henri IV, fréquenta chez Nodier les milieux du romantisme français. Il eut une relation très romantique, amoureuse et orageuse avec George Sand. Sa poésie est d'inspiration romantique guidée par une main savante pour la forme et contrôlée par un esprit classique.

Norge (né en 1898 à Bruxelles). — Une œuvre considérable faisant se rencontrer le quotidien et le fantastique, une attention aiguë portée au monde. Un poète à la fois rassurant et qui questionne.

Charles d'Orléans (1391-1465). — Fils de Louis d'Orléans, fait prisonnier à Azincourt, il resta vingt-cinq ans en Angleterre captif des Anglais. Libéré, il se réfugia dans son château de Blois et se consacra à la poésie. Poète de son temps, poète des ballades et des rondeaux, il introduit l'allusion, l'ellipse, le suggéré, la fluidité, une fluidité toute musicale. Il est à l'origine de tout un courant poétique de Villon à Marot, jusqu'à Verlaine et Apollinaire.

Odilon-Jean Périer (1901-1928). — Né à Bruxelles, entra à la Nouvelle Revue Française grâce à Jacques Rivière. Poète très doué, vigoureux auteur de pièces de théâtre, il publia deux recueils de poèmes : *Combat de la Neige et du Poète* (1920) et *La Vertu par le Chant* (1921).

Jacques Rabemananjara (né en 1913). — Ministre de la République malgache, il est aussi le poète de sa terre, où il fut longtemps emprisonné. *Rites millénaires* (1955), *Lemba* (1956), *Antsa* chantent la terre natale, le souci de justice, l'écho des légendes anciennes dont il se nourrit.

Jean Racine (1639-1699). — Poète dramatique très connu, auteur de tragédies célèbres, *Andromaque*, *Les Plaideurs*, *Britannicus*, *Bérénice*, *Phèdre*... Il parle d'amour, de gloire, de jalousie, de passion amoureuse.

Georges Ribemont-Dessaignes (né en 1884). — Il fut dadaïste, surréaliste, amoureux des arbres et du village des Alpes-Maritimes où il vit. L'essentiel de son œuvre figure dans *Ecce homo* (1945).

Madeleine Riffaud (née en 1924). — Fille d'instituteurs, agent de liaison de la Résistance sous le pseudonyme de Rainer, arrêtée, torturée, elle devient après la guerre journaliste reporter au Vietnam et en Algérie. *Cheval rouge* (1973) rassemble ses poèmes écrits entre 1939 et 1972.

Jules Romains (1885-1972). — Poète, romancier, auteur dramatique, il fit ses études à l'Ecole normale supérieure et fut l'un des fondateurs du Groupe de l'Abbaye dont *La Vie Unanime* (1908) est le manifeste. L'auteur du court et parfait *Knock* est aussi celui des vingt-sept volumes de l'immense fresque des *Hommes de bonne volonté*.

Jean-Jacques Rousseau (1712-1778). — Une vie soumise aux émotions, aux rencontres, une sensibilité à part, protégé puis répudié par les grands, condamné à l'errance pour ses idées de liberté et sur l'éducation avec *Le Contrat social* et *L'Emile* (1762). C'est dans *Les Confessions* (1782 et 1789) et *Les Rêveries du promeneur solitaire* qu'exprimant sa personnalité, évoquant ses souvenirs, ses passions, ses sensations, il se révèle aussi véritable et grand poète.

Robert Sabatier (né en 1923). — Un poète lyrique qui détient sous sa plume l'univers entier, le soleil, les arbres, la Création avec laquelle il communie en poésie. Il a publié : *Les Fêtes solaires* (1955), *Dédicaces d'un navire* (1959), *Les Poisons délectables* (1965).

Edmond Rostand (1868-1918). — Auteur dramatique, virtuose des mots : par goût du romantisme et du lyrisme il écrivit *Cyrano de Bergerac* (1897), *L'Aiglon* (1900), *Chantecler* (1910) qui le rendirent célèbre. Une langue pleine de panache et un jeu verbal savoureux.

Albertine Sarrazin (1937-1967). — Née à Alger, enfant de l'Assistance publique, s'enfuit de chez ses parents adoptifs pour vivre l'aventure à Paris, vol à main armée, prison, évasion, prison à nouveau, libération enfin. L'écriture a toujours fait partie intégrante de sa vie. Ses principales œuvres, *L'Astragale*, *La Cavale* (1965-66), en témoignent. Quand on lit Albertine on aimerait avoir été son amie tant elle était vivante.

Pierre Seghers (né en 1906). — Un homme fraternel totalement engagé dans une vie d'éditeur de poètes, fondateur de groupes de poésie, de revues, d'une maison d'édition. Poésie et vérité sont pour lui liées, tout comme le travail intellectuel et le travail manuel. Il est aussi un grand poète avec *Le Domaine public*, *Racines*, entre autres.

Philippe Soupault (né en 1897). — Voyageur, journaliste, homme de radio, critique, un des fondateurs du mouvement surréaliste avec André Breton. Ils publient ensemble le premier grand texte surréaliste : *Les Chants Magnétiques*. Du surréalisme il a conservé le goût de l'écriture automatique comme on le voit dans *Aquarium* (1917), *Rose des vents* (1920), *Westwego* (1922), *Georgia* (1926), *L'Arme secrète* (1946).

André Spire (1868-1966). — Un poète néo - symboliste, une œuvre dense, proche de la vie quotidienne. Dans sa poésie entrent certains thèmes bibliques, les événements historiques et les faits les plus humbles de la vie quotidienne. Spire est également l'auteur d'un essai sur la poésie : *Plaisir poétique et plaisir musculaire*.

Jules Supervielle (1884-1960). — Né à Montevideo, de nationalité à la fois française et uruguayenne, très tôt orphelin, il fut toujours en quête de sa réalité et de ses racines, à travers les mots, les rythmes, les images. Sa poésie est simple, spontanée, mais pleine de rêves, de visions, des mystères que la mort et le temps font naître.

Jean Tardieu (né en 1903). — Homme de théâtre, poète de l'absurde et du dérisoire, il joue avec les mots qu'il aime prendre les uns pour les autres. Une remise en question du réel. *Monsieur Monsieur* (1951), *Une Voix sans personne* (1954), *Histoires obscures* (1961), entre autres, sont les œuvres de l'humour qui détraque toutes les machines humaines.

Tristan Tzara (1896-1963). — Roumain d'origine, fondateur du mouvement « Dada » en 1916, s'installe à Paris en 1919. Il est de ces jeunes gens en colère qui après la Première Guerre mondiale « dynamitent » les diverses représentations du monde et n'en restituent qu'un portrait éclaté. Une réaction salutaire contre tous les conformismes, une invention poétique jamais vue.

André Verdet. — Poète français ami de Jacques Prévert avec lequel il collabora. A publié entre autres recueils : *Le Fruit et le noyau* (1955), *Provence noire* (1955), *Le pays natal* (1962), etc. Sa poésie ironique proclame le besoin de justice et de soleil qui hante tous les hommes de ce temps.

Jean-Vincent Verdonnet (né en 1923). — Vit en Haute-Savoie qu'il n'a jamais quittée. A publié près d'une quinzaine de recueils. Son ouvrage *D'ailleurs*, publié en 1973, a remporté le grand concours de Poésie I. Poésie de l'intimité, de l'effusion dans les profondeurs de l'être, un intense murmure.

Théophile de Viau (1590-1626). — Une vie passionnée. Ce protestant libertin, emprisonné, exilé, brûlé en effigie, connut les faveurs et la disgrâce du Prince. Auteur dramatique, satirique, précieux, poète, ses *Œuvres* furent publiées de 1621 à 1623.

Gilles Vigneault. — Poète, chansonnier, auteur, compositeur, interprète, né au Québec en 1928. Il est encore actuellement une sorte de barde national du Québec qu'il a chanté dans de très belles chansons et en particulier dans cette sorte d'hymne à la « vieille province » : « *Mon pays, c'est l'hiver...* ».

Alfred de Vigny (1797-1863). — Né à Loches, passionné par la Bible, Vigny était le fils d'aristocrates ruinés par la Révolution. Il fut gendarme de la Maison du Roi au retour de Louis XVIII. De garnison en garnison, il écrivit *Servitude et grandeur militaires*. Carrière militaire, carrière littéraire, aussi, il écrit parallèlement ses plus beaux poèmes et *Cinq-Mars*, un roman. Ami de Victor Hugo, il fait partie du Cénacle avec Delacroix, Sainte-Beuve, Balzac, Dumas, Musset ; *Chatterton* (1835) le rend célèbre. Ce grand créateur romantique et classique, poète, philosophe, auteur des *Poèmes* (1822) s'arrêta de publier à quarante ans, un peu désenchanté et trouvant sa célébrité suspecte. Ce n'est qu'après sa mort que furent éditées *Les Destinées*.

Alexandre Voisard (né en 1930). — Poète suisse d'expression française. Poète et tribun, l'une des principales voix lyriques et poétiques de l'indépendantisme jurassien suisse. A publié entre autres recueils : *Chroniques du guet* (1961) et *Les deux versants de la solitude* (1968).

Comte Constantin de Volney (1757-1820). — Philosophe et érudit français auteur d'un livre intitulé : *Les Ruines ou Méditations sur les révolutions des empires* (1791). Ce livre constitue un ouvrage important du préromantisme français dans la mesure où il exprime une réflexion profonde sur la pérennité des civilisations et des cultures.

Jean-Claude Walter (né en 1940). — Poète français ; a beaucoup voyagé et a chanté l'originalité culturelle du pays alsacien. Ses principaux recueils sont : *Le Sismographe appliqué* (1966), *Poèmes des bords du Rhin* (1972), *Paroles dans l'arbre* (1974)...

Nous remercions Messieurs les Auteurs et Éditeurs qui nous ont autorisés à reproduire textes ou fragments de textes dont ils gardent l'entier copyright (texte original ou traduction). Nous avons par ailleurs, en vain, recherché les héritiers ou éditeurs de certains auteurs. Leurs œuvres ne sont pas tombées dans le domaine public. Un compte leur est ouvert à nos éditions.

TABLE DES MATIÈRES

ICONOGRAPHIE

Achevé d'imprimer
le 8 novembre 1984
sur les presses de
l'Imprimerie Hérissey
à Évreux (Eure)

N° d'imprimeur : 35893
Dépôt légal : novembre 1984
1ᵉʳ dépôt légal dans la même collection : octobre 1979
ISBN 2-07-034006-6
Imprimé en France

34669